논·술·세·계·대·표·문·학

1

테 스

토마스 하디 | 이연희 엮음

H 훈민출판사

영국 루이드 성 – 영국의 적인 유적지 중 하나이다.

The Best World Literature

하디의 초상화

하디의 묘지

로만 폴란스키 감독의 영화로 만들어진
〈테스〉의 한 장면.

〈테스〉의 배경이 된 영국의 스톤헨지

하디의 자필 원고

하디의 생가

영국 요크셔 지방의 석양

The Best World Literature

영국의 농촌 풍경

구인환(丘仁煥)

서울대학교 사범대학 졸업. 동 대학원 졸업(문학박사)
서울대학교 명예교수, 소설가(현). 서울대학교 사범대학 국어교육연구소 소장(현)
문학과문학교육연구소 소장(현). 국제펜 한국본부 부회장(현)
한국소설문학상(1987). 예술문화대상(1994). 한국문학상(2000)
작품 〈숨쉬는 영정〉, 〈살아 있는 날들〉, 〈일어서는 산〉 외 다수

- **저서** 《한국단편소설의 이해》, 《한국현대소설의 비평적 성찰》,
  《고교생이 알아야 할 소설》, 《고교생이 알아야 할 세계단편소설》 외 다수

윤병로(尹柄魯)

성균관대학교 국어국문학과 졸업. 동 대학원 졸업(문학박사)
성균관대학교 교수, 문학평론가(현). 한국현대소설학회장(현)
한국문예학술저작권협회 이사(현). 한국간행물윤리위원회 위원(현)
한국펜 문학상(1987). 한국문학상(1988). 대한민국문학상(1989)
수필집 《나의 작은 애인들》 외 다수

- **저서** 《현대 작가론》, 《한국 현대 소설의 탐구》,
  《한국 근대 작가 작품 연구》, 《한국 현대 작가의 문제작 평설》 외 다수

홍성암(洪性岩)

고려대학교 국어국문학과 졸업. 한양대학교 대학원 국어국문학과 졸업(문학박사)
동덕여자대학교 교수, 소설가(현). 한국문인협회 회원(현)
한국소설가협회 이사(현). 국제펜 한국본부 소설분과 이사(현). 한민족 문화학회 회장(현)
창작집 《큰 물로 가는 큰 고기》, 《어떤 귀향》 외
대하역사소설 《남한산성》 (전9권) 외 다수

- **저서** 《문학의 이해》, 《현대 작가론》, 《한국 근대 역사소설 연구》 외 다수

〈테스〉의 삽화 – 알렉 더버빌이 테스에게
딸기를 먹이는 장면

논술 *세계대표문학*을 펴내며

21세기의 사회는 **'전자 문명 시대'**라 일컬어질 만큼 오늘날 전자 산업은 우리 생활의 거의 모든 분야에 다양하게 응용되고 있습니다. 출판 분야 또한 예외는 아니어서, 종래의 서책(Book) 대신에 이른바 '전자책(CD-ROM)'의 출간이 최근 들어 날로 증가하고 있습니다.

그러나 이러한 전자책은 영상 또는 모니터상으로 흥미 위주나 백과사전식 지식을 습득하는 데는 효과적일지 모르지만, 문학 공부를 위해서는 별로 도움이 되지 않습니다. 바꾸어 말하면, 문학 공부는 각 지면마다 살아 숨쉬는 표현 하나하나를 독자 자신의 머리로 음미하면서 작품을 읽어 나가는 가운데, 풍부한 상상력의 배양과 함께 작가의 의도와 그 작품의 내면을 깊이 있게 이해함으로써 이루어지는 것입니다.

이에 훈민출판사에서는, 자라나는 학생들이 범람하는 영상 매체에 길들여지기 전에, 어려서부터 유명한 세계문학 작품들을 책자를 통하여 감명 깊게 읽고 감상함으로써, 올바른 문학 공부의 기틀을 다지고, 아울러 전인 교육도 할 수 있도록 《논술 세계대표문학(전60권)》을 펴내게 되었습니다.

작품 선정은, 초·중·고등학교 국어 교과서와 역사 교과서에 실리거나 소개된 문학 작품을 중심으로 하되, 그리스 신화와 성경 이야기 등의 고전에서부터 중세·근대·현대에 이르기까지 세르반테스·셰익스피어·톨스토이 등 세계 유명 작가들의 장·단편 소설들을 엄선·수록하였습니다. 또 세계의 명시도 별권으로 엮었으며, 특히 각 단락마다 **'논술 문제'**를 제시하여, 장차 대학입시를 비롯한 각종 '논술 고사'에 예비 지식을 쌓을 수 있도록 배려하였습니다. 아무쪼록, 이 《논술 세계대표문학(전60권)》이 자라나는 학생들에게 문학 공부의 주춧돌이 되고, 나아가 미래를 살아가는 데 **정신적 자양분**이 되기를 진심으로 바라 마지않습니다.

훈민출판사

차례

테 스

하 디

지은이

1840~1928년. 영국 남부의 도싯 지방에서 출생. 1874년 〈광란의 무리를 떠나서〉라
는 작품으로 호평을 받게 된 뒤로, 〈귀향〉, 〈캐스터브리지의 시장〉, 〈테스〉, 〈비운의 주드〉
등을 썼으며, 만년에 대서사시극 〈패왕〉을 발표하는 등 굉장한 창작 열의를 보였다.
하디는 유명해진 뒤에 프랑스와 스코틀랜드 등 여러 곳을 여행한 끝에, 1883년 고향에
'맥스 게이트'라는 이름의 저택을 짓고 은둔해 살았다. 그러는 동안 지주 귀족의 질 저하
와 몰락을 풍자적으로 기록하는 일에 생애를 바쳤다.

테 스

가문의 비밀

오월도 다 저물어 가는 어느 날 저녁, 한 중년의 남자가 샤스턴에서 블랙무어 마을을 향해 걸어가고 있었다.

때마침 남자는 잿빛 말을 타고 콧노래를 흥얼거리며 다가오는 나이 지긋한 목사와 만났다.

"안녕하십니까, 목사님."

사나이가 먼저 인사를 건넸다.

"안녕하시오, 존 경."

목사의 대꾸에 앞으로 걸어가던 사나이는 멈춰 섰다.

"목사님, 잠깐 여쭙겠는데요. 저번 장날에도 이 길에서 만났지요. 그때도 목사님은 제게 '안녕하시오, 존 경'이라고 했던 것 같은데…….그렇지요?"

"그랬던 것 같군요."

"그리고 한 달 전쯤에도 같은 인사를 하셨구요."

"그런지도 모르지……."

"그렇다면 대체 이 볼품없는 장사꾼인 잭 더비필드를 '존 경'이라고 부르시는 건 무슨 이유에서입니까?"

"아하, 그건 말이지……."

목사는 잠시 주춤거리다가 대답했다.

"더비필드, 당신은 더버빌의 직계 자손이 아니오?"

"그런 말은 처음 듣는데요?"

"하지만 사실이라네. 영락없는 더버빌 가의 턱과 코군."

"원, 그럴 리가요."

목사는 승마용 채찍으로 가볍게 자신의 다리를 내리치면서 말했다.

"아무튼, 이 영국 안에서는 당신의 더버빌 가문에 비길 만한 집안도 또 없을 거요."

"정말, 그런 일이 있을 수 있을까요?"

더비필드는 믿기 어렵다는 듯이 말했다.

목사가 조사를 시작한 것은 지난해 어느 날이었다. 그 때 우연히 존경의 짐마차에 더비필드란 성이 붙어 있는 것을 발견하게 되어, 그로부터 존의 아버지와 할아버지에 대해 알게 되었다.

"난, 당신도 이 일을 알고 있는 줄 알았지요."

"하긴, 저도 저희 집안이 블랙무어로 오기 전까진 잘 살았다는 얘기를 몇 번 듣기는 했었죠. 그럼 우리 조상들은 지금 어디에 묻혀 있습니까?"

"킹스비어 서브 그린힐. 그 곳 지하의 납골당 안에 모셔져 있지요."

목사는 가던 길을 다시 가면서 자기가 해서는 안 될 소리를 했다고 생각했다.

목사가 사라지자 더비필드는 깊은 생각에 잠겨 몇 걸음 걷다가, 들고 가던 바구니를 둑 위에 놓고 주저앉았다. 더비필드는 기분이 좋은 듯 들국화가 피어 있는 둑 위에 벌렁 드러누웠다.

"존 더비필드 경. 이게 바로 나란 말이야!"

멋있는 남자

말로트 마을은 블랙무어의 아름다운 골짜기 동북쪽 구릉에 자리잡은 외딴 마을이었다. 사방이 산으로 둘러싸인 이 고장은 런던에서 불과 네 시간 거리에 있었다. 들판은 작은 목장으로 이어져 있었고, 언덕 위에서 내려다보면 그 녹색풀 위로 세워진 울타리는 짙은 초록빛 그물처럼 보이기도 했다.

이 고장은 지형적으로는 물론, 역사적으로도 흥미진진한 고장이었다. 헨리 3세 때의 이상한 전설로 인해 '흰 사슴의 숲'이란 이름을 갖고 있었다. 지금은 옛날 그 나무 그늘 아래서 행해졌던 몇 가지 풍습만이 그 명맥을 이어오고 있었는데, 여자들의 들놀이가 바로 그것이다. 이 놀이는 말로트의 젊은이들에겐 대단한 흥취를 갖게 했다.

특히 이 놀이는 해마다 그 날이 오면 무리지어 춤을 춘다는 것보다는 그 참가원이 여자들뿐이라는 데에 그 특색이 있었다. 그리고 여자들은 모두가 흰옷을 입게 되어 있었다. 모두 다 흰옷을 입기는 했지만 그 하나하나를 비교해 볼 때 똑같은 색깔의 옷은 거의 찾아볼 수 없었다.

참석하는 여자들은 한결같이 즐겁고 유쾌하기만 했다. 그녀들은 막 퓨어 드롭 주막의 모퉁이를 돌아 작은 문을 나서서 들판으로 향했다.

그 때 한 여자가 가볍게 외쳤다.

"어머나, 테스 더비필드, 너희 아버지가 마차를 타고 오시는구나."

그녀의 말에 테스가 얼굴을 돌렸다.

그녀의 머리에는 빨간 리본이 달려 있었는데, 그같이 튀는 장식을 하고서도 당당한 처녀는 그녀뿐이었다.

"킹스비어에는 우리 가문의 묘지가 있다네. 우리 조상님들이 잠들고
    계신다네——."

더비필드의 말에 여자들은 킥킥대고 웃었지만 테스는 웃지 않았다.

"아마 아버지가 먼 길을 다녀오셔서 피곤하신가 봐."

그녀는 서둘러 아버지를 변명해 주었다.

그리고 춤 놀이가 시작될 들판에 이르러서는 친구들과 어울려 서로 떠들며 장난을 쳤다.

이윽고 여자들의 행렬이 정해진 장소에 닿자 곧 춤 놀이가 시작되었다. 거기에는 남자가 한 사람도 없었기 때문에 여자들끼리 짝을 지어 춤을 추었다. 남자들이라고 해야 마을 사람을 비롯한 구경꾼 몇몇이 서 있을 뿐이었다.

그들 구경꾼 중에 작은 배낭을 짊어지고 손에는 탄탄한 지팡이를 쥔 상류 계급의 청년 세 사람이 있었다. 그들은 형제지간이었다.

삼 형제 중 위로 두 형은 이 여자들만의 축제에 별로 관심이 없었지만, 막내는 처녀들끼리 춤추는 것에 흥미를 느꼈는지 배낭과 지팡이를 울타리 밑에 놓고 처녀들 쪽을 향했다.

"에인젤, 너 뭘 하려는 거야?"

맏형이 물었다.

"저 여자들하고 함께 춤추고 싶어. 우리 전부 가자구……."

"뭐야? 안 돼! 시골 말괄량이 아가씨하고 어울려 춤을 추다니!"

"그럼 형들 먼저 가. 오 분 안으로 뒤쫓아갈게."

막내가 고집을 피우자 할 수 없이 두 형은 그 자리를 떠났다. 동생은 곧 풀밭 안으로 들어갔다.

"정말 안됐는데요?"

춤이 잠깐 멎자, 그는 가까이에 있는 처녀 두어 명에게 말을 건넸다.

"여러분들의 춤 상대는 모두들 어디 있죠?"

"일이 끝나지 않아서 아직 못 왔어요. 이제 올 때가 되었어요. 그 때까지 좀 상대해 주시겠어요?"

"좋아요. 하지만 나 혼자서야 원. 아가씨들은 이렇게 많은데……."

그 때, 교회당 시계가 울리자 청년은 형들과의 약속을 생각해 내고는 가야 한다고 말했다. 춤추던 곳에서 나올 때 테스 더비필드와 눈이 마주쳤다.

그녀의 커다란 눈동자 속에는 자기를 선택해 주지 않은 데 대한 원망이 담겨 있었다. 그는 아쉬웠지만 서운함을 달래며 목장을 벗어났다.

아버지의 즐거움

테스 더비필드는 이 일을 그리 쉽게 가슴속에서 몰아낼 수가 없었다. 춤출 상대는 얼마든지 있지만 그 낯선 청년만큼 품위 있고 상냥한 사람은 없었다.

집으로 돌아온 그녀는 밖에서 그렇게 혼자만 놀고 지낼 게 아니라, 좀더 빨리 돌아와 어머니를 거들어 드렸어야 했다는 자책감에 빠졌다.

어머니는 테스가 집을 나섰을 때와 마찬가지로 아이들 속에 둘러싸인 채, 이번 주일 내내 밀린 빨랫감에 매달려 있었다.

어머니는 테스가 오랫동안 집안일을 거들지 않고 나가 있었다고 해서 그것을 나무라는 기색은 조금도 보이지 않았다.

오히려 어머니는 오늘따라 그 어느 때보다도 즐겁게 보였다.

"이제 왔니?"

자장가를 마치고 어머니가 물었다.

"아버질 모시러 가야겠구나. 그것보다도 네게 오늘 일을 먼저 얘기해 주어야겠구나."

"무슨 얘기요?"

"글쎄 우리가 이 고장에서 손꼽히는 명문가의 자손이란 걸 알게 됐지 뭐니?"

"그것 참 기쁜 일이군요. 그런데 그게 무슨 상관이에요?"

"왜 상관이 없어? 이 일이 세상에 알려지면 지체 높은 사람들이 마차를 타고 몰려올걸."

"그런데 대체 아버진 어딜 가신 거예요?"

"아버진 아주 신이 나셔서 반 시간 전에 롤리버 술집으로 가셨다. 내일은 벌통을 싣고 먼길을 가셔야 하는데……."

어머니는 아버지를 모시러 가고, 테스는 어린 동생들과 함께 남게 되었다. 그녀는 막내 동생을 잠자리에 눕혔다.

테스는 동생들에게 언니나 누나라기보단 어머니 같은 존재였다. 테스에게는 아래로 다섯 명의 동생이 있었다. 첫째 동생 에이브러햄 밑으로도 호프와 모디스티라는 두 여동생과 세 살 난 사내아이, 그리고 막내동생은 이제 겨우 첫돌이 지난 젖먹이였다.

밤이 깊었는데도 아버지와 어머니는 좀처럼 돌아오지 않고 있었다.

"에이브러햄, 그렇게 덥진 않지? 자, 모자를 쓰고 롤리버 주막에 가서 아버지 어머니가 뭘 하고 계신지 보고 오렴."

에이브러햄은 의자에서 벌떡 일어나더니 방문을 열고 어둠 속으로 쏜살같이 달려나갔다.

그러나 에이브러햄이 나간 지 다시 삼십 분이 지났지만, 아버지와 어머니는 물론, 에이브러햄도 돌아오지 않았다.

"아무래도 안 되겠어, 내가 가 봐야지."

테스는 아이들만 둔 채 문을 잠그고, 깜깜하고 이리저리 구불구불한 오솔길을 따라 걷기 시작했다.

프린스의 죽음

더비필드 부인은 집에서 나와 남편이 있는 술집에 이르렀다.

"아니, 이게 누구야! 더비필드 부인 아니야? 깜짝 놀랐잖아."

더비필드 부인은 남편이 있는 쪽을 보았다. 그는 콧노래를 흥얼거리고 있었다.

"난 아무한테도 지지 않아. 킹스비어 서브 그린힐에는 우리 조상의 묘지가 있고, 우리 집안은 웨섹스 지방 누구보다도 유서 깊고 훌륭한 관도 있으니……."

더비필드 부인이 남편의 얘기를 듣고 장단을 맞추었다.

"당신 얘길 듣고 보니 저 사냥터 숲 끝의 트랜트리지란 곳에 더버빌 성을 가진 부자가 산다는 게 생각이 나는군요."

"오호, 그래?"

존 경이 말했다.

"당신 말대로라면 그 분은 분명 우리 친척일 게 아녜요? 그러니 테스를 거기 보내 우리가 친척임을 알리는 게 어떨까요?"

이런 얘기를 나누느라고 부부는 어린 아들이 집으로 가자고 조르는 것도 모르고 있었다.

"그래요, 우리 전부 가서 친척이라고 해요. 그리고 테스 누나가 그 집에 있게 되면 우리도 만나 보러 가지 뭐."

에이브러햄이 신이 나서 끼어들었다.

"아니, 네가 여길 어떻게 왔니? 어른들 일에 괜히 나서지 말고 가만히 있어. 그런데 말이죠. 우리 테스를 꼭 그리 보내도록 하자구요."

그러는 중에 아랫방을 지나오는 발소리가 들려왔다.

예고 없이 들어온 사람은 바로 테스였다.

그녀의 까만 눈을 보자마자 그녀의 아버지와 어머니는 벌떡 일어나 남은 맥주를 단숨에 들이켜고는 딸의 뒤를 따라 계단을 내려갔다. 테스는 아버지와 어머니 가운데에 서서 한쪽 팔을 잡고는 집으로 향했다.

"킹스비어에는 우리 가문의 묘지가 있다네……."

"여보, 이제 좀 조용히 하세요."

부인이 말했다.

가족들이 모두 잠자리에 든 것은 열한 시가 넘어서였다. 그런데 아버지는 벌통을 가지고 늦어도 새벽 두 시에는 출발해야만 했다.

한 시 반이 되어 더비필드 부인은 테스가 아이들과 함께 자고 있는 방으로 들어왔다.

"딱하게도 아버진 못 가신단다."

어머니가 방문을 여는 소리에 눈을 뜬 테스는 잠이 채 깨지 않은 흐리멍덩한 상태에서 그 얘기를 듣고는 침대에 일어나 앉았다.

"하지만 누구라도 가야죠. 오늘 시장에 안 가면 벌통을 처분하지 못하게 된다구요. 내가 에이브러햄과 함께 가겠어요."

어머니도 이 말에 찬성하여 에이브러햄을 흔들어 깨웠다. 두 사람은 마구간으로 갔다. 테스는 프린스라는 이름을 가진 말을 끌어냈다.

두 사람은 초롱 속에 동강난 초를 넣고는 그것을 짐 바깥쪽에 매달고 말을 몰았다. 그녀는 말이 고개를 올라갈 동안은 말의 옆쪽에 붙어 서서 걸었다. 기운 없는 동물을 혹사시키고 싶지가 않았던 것이다.

"누난 우리가 귀족 집안이란 거 알게 돼서 기쁘지 않아?"

"뭐, 별로야."

"멋진 신사와 결혼하게 되면 좋지 않아?"

"아니, 그게 무슨 소리니?"

"우리 그 훌륭한 친척이 소개하면 누나는 멋진 신사의 색시가 될 수 있다던데?"

"아니, 내가 말이니? 우리의 훌륭한 친척이란 대체 누군데 그래?"

테스는 입을 다물고 깊은 생각에 잠겼다. 별들이 차디찬 빛을 발하고 있었다.

잠시 후, 에이브러햄이 졸기 시작했다. 테스는 동생이 떨어지지 않게 벌통 앞에다 잠자리를 만들어 주고 말고삐를 잡고는 천천히 말을 몰았다.

테스는 벌통에 등을 기대고 전보다 더 깊은 생각에 잠겼다. 그녀는 아버지가 자랑하는 일이 모두 허망하게만 느껴졌다.

갑자기 앉은 자리가 덜컹하고 크게 흔들려 테스는 눈을 번쩍 떴다. 어느 새 그녀도 잠이 들어 있었던 것이다.

테스가 의식을 잃었던 뒤에도 마차는 멀리 앞으로 가서 멈추어 섰다. 한번도 들어보지 못한 짐승의 신음 소리에 이어 외침 소리가 들려왔다.

"야, 이놈들아!"

마차에 매달았던 초롱불은 꺼졌는데, 어디에선가 나타난 밝은 초롱불이 그녀의 얼굴을 정면으로 비추고 있었다.

혼비백산하여 마차에서 뛰어내린 테스는 너무나 놀랐다. 신음 소리는 아버지의 말 프린스가 내는 소리였다.

우편 마차가 이 길을 빠르게 달려오다 그녀의 짐마차와 충돌한 것이었다. 프린스의 몸에서 피가 줄줄 흘러 땅을 적시고 있었다.

"아가씨가 길을 잘못 든 거요. 난 우편물을 가져가야 하니까 당신은 여기서 짐을 가지고 기다릴 수밖에 없겠소. 되도록이면 빨리 오겠소. 곧 날이 밝아올 테니 무섭진 않을 거요."

그는 마차에 올라타고 바삐 떠나갔다. 테스는 우두커니 서서 기다렸다. 프린스는 눈을 반쯤 뜬 채 차갑게 누워 있었다.

"모두 내 탓이야, 내 탓! 아무것도 변명할 말이 없어. 아아……. 이제 어머니와 아버진 뭘로 살아가신다지?"

이윽고 말발굽 소리가 들렸다. 우편 마차부가 약속을 지켜 준 것이었다. 프린스 대신 끌고 온 그 말에 벌통을 싣고 캐스터브리지로 향했다.

그날 저녁, 빈 짐마차는 다시 사고가 났던 지점으로 돌아왔다. 프린스의 시체는 자신이 끌던 짐마차 위에 실려 말로트 마을로 향했다.

그런데 가난 때문에 늘 허덕여 왔던 이 집안은 이 재난을 그다지 뼈 아프게 느끼지는 않았다.

사건의 시작

더비필드는 이 고장 사람들에게 소문난 게으름뱅이였다. 테스는 어떻게 하면 가난으로부터 벗어날 수 있을까 궁리하였다.

"누구에게나 오르막길이 있는 거란다, 테스. 아무래도 우린 친척을 만나봐야겠다. 체이스 부근에 사는 돈 많은 더버빌이란 부인 이야기를 들은 적이 있지?"

테스는 내키지 않았지만, 프린스가 죽자 어머니의 말을 순순히 따르기로 했다.

"말은 제가 죽였으니까 무슨 일이든 할게요. 그 분을 찾아뵙는 건 어려운 일이 아니지만 도와달라는 것만큼은 저한테 맡겨두세요."

다음 날, 테스는 돈 많은 더버빌 부인을 만나러 떠났다. 체이스 숲 변두리에 더버빌 부인의 저택이 있었다. 제일 먼저 눈에 띈 것은 처마 끝까지 상록수들에 묻혀 있는 문지기의 사랑채였다.

더버빌이라는 이름은 그 지역에서는 흔히 들을 수 있는 가문이 아니었다. 시몬 스톡은 영국의 북부에서 재산을 모은 뒤 이곳에서 정착하고

자 했다. 그는 대영 박물관에 가서 자세히 조사해 보고 더버빌이란 집안이 그중 제일 맘에 들자, 그것을 자기의 가짜 성으로 만들었다. 불행하게도 테스와 그녀의 부모들은 이러한 사실을 전혀 모르고 있었다.

테스가 어쩌지도 못하고 사랑채 앞에 서 있는데, 키가 큰 청년이 나타났다. 그의 얼굴은 거무스레해서 인상이 좋지 않았다. 게다가 끝이 뾰족한 콧수염을 기르고 있었다.

"무슨 일로 오셨지요, 아가씨?"

그가 가까이 다가오며 물었다. 그리고는 당황해 어쩔 줄 모르는 테스에게 덧붙였다.

"날 겁낼 건 없어요. 나는 더버빌입니다."

"전 당신의 어머니께 용무가 있어서 왔어요."

"안됐지만 아마 어머님은 못 만나실 겁니다. 지금 편찮으시거든요."

테스는 눈앞의 사나이가 두려웠고 불안했다.

그러나 그녀의 장밋빛 입술은 저도 모르게 방긋 미소를 지었다. 이 미소를 본 거무스레한 얼굴의 알렉은 그녀에게 매혹되었다.

"저희 어머니가 가 보라고 하셔서 왔어요. 제가 온 것은 저희 집이 댁하고 친척이 된다는 걸 알려드리기 위해서예요."

"스톡 집안인가요?"

"아뇨, 더버빌 집안이에요."

"아, 그렇지. 더버빌 집안이냐고 물으려 했는데."

"그런데 지금 우리 집 성은 더비필드예요. 더버빌 집안이란 증거도 있고, 옛날 것을 연구하시는 분도 자료는 충분하다고 했어요."

"그래요?"

"그래서 친척들과 가까이 지내기 위해서 왔어요. 비록 말은 죽어버렸지만……"

"그러니까 우리 예쁜 아가씨가 친척으로서 인사를 하러 오신 거란 말씀이군요?"

그녀는 자신의 집안 사정을 간단히 설명했다.

"마차가 트랜트리지를 지나려면 아직 시간이 남아 있어요. 기다리는 동안 함께 정원이라도 거닐면 어떨까요?"

테스는 청년이 진지하게 권했기 때문에 걷기로 하였다. 그는 그녀에게 딸기를 좋아하느냐고 물었다.

"제 철에 나는 딸기는 좋아해요."

더버빌은 딸기를 따서 그녀의 입가로 내밀었다.

"싫어요."

테스는 남자의 손과 자기 입술 사이를 손으로 재빨리 막았다.

"괜찮아요. 먹어 봐요."

그가 억지를 부렸기 때문에 테스는 하는 수 없이 받아 먹었다.

"이제 무얼 좀 먹고 있으면 시간이 될 거예요. 이리로 와 봐요."

알렉 더버빌은 테스를 천막 안으로 데리고 가 점심식사가 들어 있는 바구니를 가져다 그녀의 앞에 펼쳐 놓았다.

점심을 마치고 일어서면서 테스가 말했다.

"이제 가 보겠어요."

"그런데 당신의 이름이 뭐지요?"

"테스 더비필드예요."

"말을 잃어버렸다고 했나요?"

"제가 죽인 거예요!"

그녀는 말 이야기가 나오자 눈물이 글썽해진 채 프린스가 죽게 된 이유를 자세하게 설명했다.

두 사람은 찻길 모퉁이까지 다다랐다. 그 때 그는 순간적으로 테스의

얼굴에 키스하려다 마음을 고쳐먹었다. 잠시 후 천막으로 돌아온 그는 크게 소리내어 웃었다.

"거참, 별일도 다 있군. 저렇게 예쁜 여자를 만나다니!"

이렇게 해서 사건은 시작되고 있었다.

마음의 결정

집으로 돌아가던 테스는 고단했으므로, 어머니가 일러준 대로 언덕에 있는 농가에서 하룻밤을 묵었다. 그녀가 집에 당도한 것은 다음 날 오후였다.

그런데 집안 분위기가 어수선했다.

"나는 알고 있었지. 너라면 모든 일을 다 잘 해낼 거라고 했었지?"

"대체 무슨 일인데 그러세요?"

대수롭지 않다는 듯이 테스가 물었다.

"저쪽에서 양계장을 네게 맡기고 싶다는 소식을 보내왔다. 널 친척으로 데려가고 싶단 얘기지 뭐겠니?"

"하지만 전 그 집 부인을 만나지도 못했어요."

"하지만 누구라도 만났겠지?"

"아들을 만났어요. 그런데 편지는 누가 썼지요?"

"더버빌 부인이지. 자, 여기 있다."

편지는 더버빌 부인이 더비필드 부인 앞으로 보내는 것으로 되어 있었으며, 간단한 내용이 담겨 있었다.

"하지만 전 가고 싶지 않아요."

"아니, 왜?"

"왜 그런지는 저도 잘 모르겠어요."

그리고 일주일이 지났다. 그러던 어느 날, 어린 동생 하나가 춤이라도 추듯 집 안으로부터 뛰어나오며 말했다.

"누나, 어떤 신사 아저씨가 오셨댔어!"

더버빌 부인의 아들이 말을 타고 지나다가 잠깐 들렀다는 것이었다. 테스가 양계장을 돌볼 수 있는지 알아보러 왔다고 했다.

"그 사람이 널 훌륭한 처녀라고 했단다. 네게 아주 반해 버린 것 같더 구나."

하고 어머니가 말했다. 테스는 늘 자신을 보잘것없는 존재로 생각하고 있었는데, 자기를 칭찬해 주는 사람이 있다는 사실에 잠깐이긴 했지만 기분이 좋았다.

"거기에 가서 살 수만 있다면 곧 가겠어요."

"그 사람은 훌륭한 신사 같았어!"

"그 정도는 아니에요."

분별이 없는 아내는 테스를 그리로 보내 그와 결혼시켜야 한다고 남 편을 설득했다.

"하긴 그래, 더버빌이란 청년의 의도도 그럴 테니까."

그리하여 문제는 결정이 났다. 테스는 언제라도 그쪽에서 필요로 하 는 날에 출발하겠노라고 승낙의 편지를 보냈다.

곧 더버빌 부인의 답장이 왔지만, 어쩐지 남자의 글씨로 보였다. 그 편지에는 짐마차를 보낼 테니 준비해 놓으라고 적혀 있었다.

그렇게 마음을 정하니 테스는 마음이 편안해졌다. 그녀는 별로 힘들 이지 않고도 아버지께 새 말 한 마리를 사 드릴 수 있다고 생각했다.

울어버린 동생들

출발하기로 되어 있는 날 아침, 테스는 날이 밝기도 전에 잠에서 깼다. 어머니가 딸을 보고 타일렀다.

"애, 친척집엘 가는데 좀 꾸미고 가야지."

"전 일하러 가는 거예요."

"그야 그렇지만, 처음엔 잘 보이는 것이 좋지 않겠니?"

"그럼 그렇게 하겠어요."

테스의 고분고분한 태도는 더비필드 부인의 마음을 한없이 기쁘게 만들었다.

"어머니, 양말 뒤축에 구멍이 났어요."

테스가 말했다.

"그런 건 걱정 마라. 처녀 시절에 나는 예쁜 모자 하나로도 충분했단다."

어머니는 딸의 모습이 몹시 자랑스러워 뒤로 물러나 찬찬히 들여다보는 것이었다.

딸이 출발할 시간이 다가오자, 존 경의 마음은 불안했다.

"우리도 누나와 함께 거기까지 갈 테야. 테스 누난 그 신사 아저씨와 결혼해서 이젠 예쁜 옷을 입을 거지?"

"얘들아, 누나는 새 말을 사려고 그 친척집으로 일하러 가는 거야."

더비필드 부인이 타이르듯 말했다.

"다녀오겠어요, 아버지!"

테스는 목구멍에 무언가 걸린 것 같은 목소리로 말했다. 존 경은 아직도 침대에 있었다.

"그럼 잘 다녀오너라, 테스!"

테스는 어머니와 함께 집을 나섰다.

마침내 그들은 고갯길 오르막이 시작되는 데까지 다다랐다. 바로 이 고갯마루까지 트랜트리지에서 마차가 그녀를 맞으러 오게 되어 있었다. 고개 너머 낭떠러지 쪽에 샤스턴의 평화로운 인가들이 옹기종기 모여 있었다.

"자, 여기서 좀 기다려 보자. 짐마차가 오겠지. 봐라, 벌써 오는데!"

과연 마차가 오고 있었다.

그런데 그녀가 그 짐마차까지 가기도 전에 또 하나의 마차가 언덕 숲 속에서 튀어나와 테스 곁에 섰다.

그녀는 놀란 눈으로 마차를 올려다보았다.

어머니는 그제서야 두 번째로 나타난 마차가 앞의 것처럼 초라한 게 아니라 훌륭하고 멋진 마차라는 것을 알았다. 말을 몰고 온 사람은 두 주일쯤 전에 어머니를 찾아왔던 그 남자였다.

더비필드 부인은 마치 어린애처럼 손뼉을 쳤다.

흰옷을 입은 테스는 마차 곁에서 머뭇거리고, 마차 위의 청년은 무언 가 말을 하고 있었다. 테스는 무언가를 두려워하고 있었다.

청년은 마차에서 내려 그녀에게 타기를 권했고, 잠깐 언덕 밑에 서 있던 가족을 내려다본 테스는 갑자기 마차에 올라탔다.

테스의 모습이 사라지자 아이들의 눈에는 눈물이 고였다. 막내아이가 말했다.

"누난 불쌍해! 귀부인 따위는 되지 말고 우리와 함께 살면 좋을 텐 데……."

그리고 입술을 삐죽이더니 곧 울음을 터뜨렸다. 다음 아이가 울기 시 작했고, 또 그 다음 아이도 요란스레 울기 시작했다.

무례한 남자

알렉 더버빌은 테스 곁에 앉아 힘차게 마차의 채찍을 휘두르며 그녀의 비위를 맞추었다. 어느 새 두 사람은 내리막길을 달리고 있었다.

테스는 용기 있는 여자였지만, 아버지의 말이 죽은 다음부터는 은근히 마차에 대한 불안감을 갖고 있었다.

그래서 조금만 흔들거려도 놀랐으며 불안해했다.

"좀 천천히 몰아 주세요."

더버빌은 크고 흰 앞니로 담배를 씹으며 그녀를 돌아보고는 느긋이 미소를 지었다.

"당신처럼 용감하고 씩씩한 처녀도 그런 말을 할 때가 있소? 나는 내리막길에서는 언제나 전속력으로 달린다오."

마차는 바람처럼 내려가기 시작했다. 바퀴는 팽이처럼 돌고 마차는 좌우로 쏟아질 듯 흔들렸다. 바람은 테스의 옷을 뚫고 살결에 와 닿았고 머리카락은 마구 휘날렸다.

그녀는 이를 악물고 참았지만 끝내는 더버빌의 고삐를 쥔 팔에 매달렸다.

"팔을 붙들어선 안 돼! 내 허리를 붙들어요!"

그녀는 거의 정신이 나가 그의 허리를 붙잡고 있었기 때문에 자기 모습이 어떠한지, 상대가 누구인지조차도 알 수 없을 지경이었다.

마차가 다른 고갯마루에 다다랐다.

"자, 다시 한 번 그렇게 하는 거야!"

더버빌이 말했다.

"싫어요, 그러지 말아요. 제발, 부탁이에요!"

"이 고장에서 제일 높은 곳에 올라온 이상은 아래로 내려가야 할 게 아니오?"

마차는 다시 무섭게 질주하기 시작했고, 더버빌이 그녀에게 말했다.

"당신의 그 어여쁜 볼에 잠깐이라도 좋으니 키스를 하게 해 줘요. 그러면 마차를 늦춰주지."

"안 돼요!"

테스는 그의 몸에 닿지 않도록 몸을 단단히 세우면서 한마디로 거절했다. 그러자 그가 모는 마차는 더욱 세차게 흔들리기 시작했다.

"그럼 키스만 하는 거지요?"

그녀는 마침내 모든 것을 포기하고 외쳤다. 그녀의 커다란 눈은 야생 동물처럼 사납게 그를 쏘아보고 있었다.

"다른 짓은 하지 않아요, 테스."

"그래요, 그럼."

그는 고삐를 당겨 마차가 천천히 가게 되자 그 틈을 타서 키스를 하려고 했다. 그러나 바로 그 순간 자기의 경솔함을 깨달은 테스는 몸을 휙 돌려 버리고 말았다.

두 손에 고삐를 쥐었던 그는 그녀에게 키스할 수 없었다. 남자는 테스를 향해 갖은 욕을 하기 시작했다.

"도대체, 뭐야?"

"좋아요. 가만히 있을게요. 당신은 친척이니까 나를 잘 돌봐 주시고 친절히 대해 주실 거라고 믿었는데……."

"친척은 무슨 빌어먹을 친척이야? 자, 어서!"

"난, 아무한테서나 키스받는 건 싫어요!"

그녀는 애원했다. 커다란 눈물 방울이 하나 뚝 떨어졌다.

"이럴 줄 알았으면 오지도 않았을 거야……."

그래도 그는 막무가내였고, 마침내 그녀는 모든 것을 포기했다. 그래서 더버빌은 승리의 키스를 할 수 있었다.

테스는 그가 키스를 하자마자 수치심으로 얼굴이 새빨개져서 손수건을 꺼내 그의 입술이 닿았던 뺨을 닦아냈다.

남자가 화를 냈다.

"시골 처녀치곤 꽤 까다롭게 구는군!"

테스는 앞만 가만히 바라보고 있었다. 그런데 마차가 멜버리다운과 윈그린 근처까지 다다랐을 때 또 한번 내리막길을 보고는 가슴이 철렁 내려앉았다.

"아까 한 짓을 후회하게 해 주겠어!"

남자는 다시 채찍을 휘두르며 여전히 화난 목소리로 말했다.

"한 번 더 키스를 하게 해 주고, 손수건 따위로 닦지 않는다면야 괜찮겠지만……."

테스는 한숨을 쉬고 나서 말했다.

"알겠어요."

"어머나! 저 모자를 좀 줍게 해 주세요!"

테스의 모자가 바람결에 날려 길가로 떨어졌다. 더버빌은 자기가 주워 오겠다고 했으나 테스는 그보다 먼저 반대편으로 뛰어내렸다.

그녀는 모자를 주웠지만 마차 곁으로 가지 않았다. 그리고는 외쳤다.

"타지 않겠어요!"

"안 타겠다구? 아직도 트랜트리지까진 8,9킬로미터나 남았어."

"몇십 킬로미터라도 상관없어요. 뒤에 짐마차도 따라올 테니까요."

"이런 앙큼한 것. 말해봐, 그 모자는 일부러 날려보낸 거지?"

테스가 가만히 있자, 더버빌은 또다시 그녀에게 갖은 욕을 했다.

"저는 당신 같은 사람 정말 싫어요! 어머니한테로 돌아가겠어요."

"그래? 하지만 난 당신이 더욱 좋아졌는걸? 자, 내가 사과하지."

그래도 테스는 다시 마차에 탈 생각이 없었다. 그렇지만 마차가 자기 곁을 따라 같이 가는 것에는 반대하지 않았다.

테스는 걸으며 차라리 집으로 되돌아가는 게 현명하지 않을까 생각했다. 하지만 별 이유 없이 집으로 돌아가는 것은 어린애 같은 짓이라는 생각이 들었다.

휘파람 부는 처녀

테스는 양계장을 돌보기 시작했다. 양계장은 초가 지붕이 낡은 허름한 곳이었지만 예전에는 사람이 살던 집이었다.

그 옛날 지주들의 후손들은 이 곳이 스톡 더버빌의 소유가 되고 나서 그녀에 의해 아무렇게나 닭장으로 변한 사실을 보고는 그들 가문에 대한 모욕이라고 느꼈다.

한때 수많은 아이들로 떠들썩했던 방들은 이제 병아리들이 모이를 쪼는 소리로 시끄러웠다. 양계장으로 향하는 문은 하나밖에 없었다.

다음 날 아침, 테스는 집에서 양계를 했던 경험을 살려 한 시간 정도 이것저것 손질하고 있었다. 그 때 마침 하녀가 들어왔다.

"부인께서 여느 때처럼 닭을 보시겠다고 하세요."

그녀는 테스가 말귀를 못 알아듣자 다시 말했다.

"부인은 나이가 많으셔서 눈이 안 보이세요."

"앞을 못 보신다구요?"

테스는 뜻밖의 사실을 알게 되었다.

하지만 물을 사이도 없이 그녀는 닭 두 마리를 안고 저택으로 가야 했다. 저택은 화려하고 웅장한 건물이었는데, 주인이 짐승을 사랑하고 있는 흔적이 여기저기 보였다.

아래층 거실에는 그 저택의 여주인이 햇살을 받으며 팔걸이의자에 앉아 있었다. 그녀의 얼굴은 보통 장님들의 담담한 표정과는 달랐다.

그녀는 안타까운 마음으로 테스의 발소리에 귀를 기울이고 있었다.

테스는 퍼덕거리는 두 마리의 닭을 한 팔에 한 마리씩 안고 부인 곁으로 걸어갔다.

"아, 네가 내 닭들을 돌봐 주러 온 처녀구나."

더버빌 부인은 새로운 발자국 소리의 주인공에게 말했다.

"닭들을 친절하게 돌봐 줘. 집사 말이 네가 가장 적임자일 거라고 하더라. 그런데 닭은 어디 있지?"

늙은 부인이 이야기하는 동안 테스와 하녀는 부인의 손짓에 따라 제각기 그녀의 무릎 위에다 닭을 놓았다.

그러자 부인은 머리에서 꽁지까지 모두 만져 보고, 발톱까지 세밀히 조사해 보는 것이었다.

그녀는 손으로 만지기만 해도 어느 닭인지 곧 알았다. 털이 조금만 빠졌어도 그걸 알았다. 모이주머니를 만져 보고 무엇을 먹었는지까지 맞히었다.

갑자기 더버빌 부인이 테스에게 물었다.

"너, 휘파람 불 줄 아니?"

"휘파람 말예요, 부인?"

"그래, 휘파람으로 노래를 불 줄 아느냐고?"

테스는 대부분의 시골 처녀들처럼 휘파람을 불 줄 알았다. 그러나 점잖은 상류 계급 사람들 앞에서는 내세우고 싶지 않은 재주였다.

하지만 그녀는 솔직하게 불 줄 안다고 대답했다.

"그렇다면 매일 우리 방울새한테 휘파람을 불어 주어라. 우는 소리라도 듣고 싶구나. 우리 집에서 그렇게 휘파람으로 새한테 노래를 가르쳐 준단다. 엘리자베스, 애한테 새장 있는 데를 가르쳐 줘라. 요 며칠 동안 그대로 내버려 뒀었지."

"더버빌 도련님께서 아침에 불어 주셨어요."

엘리자베스가 말하였다.

"그 녀석이? 기가 막히는군!"

늙은 부인의 얼굴이 알 수 없는 노여움으로 가득 찼다.

이렇게 해서 테스가 친척으로 여기는 노부인과의 첫 만남은 끝났다.

노부인은 친척 이야기에 대해선 한마디도 하지 않았다.

테스는 이 만남에서 부인과 아들 사이가 별로 좋지 않다는 것을 짐작할 수 있었다.

첫날을 불쾌한 가운데 지낸 테스도 새 일터에서 빛나는 아침 햇살을 대하게 되자, 의외로 마음이 편해지고 새로운 일들에 관심이 끌리기 시작했다.

그녀는 닭장 위에 앉아서 오랫동안 불어 보지 못한 휘파람을 불었다. 그러나 소리가 잘 나지 않았다.

바로 그 때, 돌담을 덮고 있는 담쟁이덩굴 사이로 뭔가가 바스락거렸고, 누군가가 담 꼭대기에서 땅바닥으로 뛰어내리는 것이 보였다.

알렉 더버빌이었다.

"사촌누이, 내 명예를 걸고 말하지만 어느 곳에서도 당신처럼 아름다운 사람을 여태껏 본 적이 없었어. 방금 담 너머로 당신을 보았지. 그 귀여운 붉은 입술로 휘파람을 불려고 애쓰는 모습을. 하지만 아무리 불어 봐도 소리가 안 나니 화가 나는 모양이지? 그렇게 입술을 뾰족이 내미니까 그렇지. 자, 봐요. 휘파람은 이렇게 불어야 해요."

그는 입술을 오므리더니 〈가져가요. 아아, 이 입술을〉이라는 노래의 한 구절을 불었다. 그러나 그 노래가 테스의 마음에는 전혀 들지 않았

다. 그녀는 냉정히 보이고자 표정을 딱딱하게 하고 있었다.

하지만 남자가 짓궂게도 자꾸 휘파람을 불어 보라고 우겼기 때문에, 그를 빨리 돌려보낼 생각으로 그를 따라 입술 모양을 해 보았다.

그러다가 언뜻 쑥스러운 생각이 들어 그녀는 얼굴을 붉히며 웃었다. 그는 계속 더 해 보라고 말했다.

이번엔 테스도 정말로 불어 보고 싶은 마음에 다시 한 번 따라 해 보았다. 그러자 뜻밖에도 제대로 된 소리가 나왔다.

그 기쁨으로 한순간 그녀도 모르게 긴장되었던 마음이 풀어졌다.

"잘했어요. 그런데 당신은 우리 어머님을 이상한 노인이라고 생각지 않나요?"

"전, 부인에 대해 아직 잘 몰라요."

"앞으로는 알게 되겠지. 어머닌 날 좋아하지 않지만, 당신은 맡은 가축들만 잘 돌봐 주면 좋아할 거요. 자, 그럼 이만 실례해요."

이후, 테스는 알렉 더버빌과 만나는 것에도 점점 익숙해지면서 그에 대한 두려움도 사라졌다. 테스는 그녀가 어머니를 의지하지 않으면 안 되듯이 그를 의지해야만 했다.

그녀는 시간이 지날수록 양계장에서 지내는 시간보다 아침마다 새 조롱 옆에서 휘파람을 부는 시간이 더 즐거워졌다.

그녀는 입을 내밀고 입술을 조롱 가까이 대고는 경쾌하고도 부드럽게 휘파람을 부는 것이었다.

질 투

트랜트리지 마을의 젊은 여자들 중에는 교양 없는 행동을 하는 사람들이 많았다. 그러나 이보다 더 안 좋은 점은 마을 사람 전체가 너무 술을 많이 마신다는 사실이었다.

이 마을 사람들의 제일 커다란 기쁨은 토요일 밤 일이 끝나는 대로 체이스버러로 가는 것이었다. 그곳에서 새벽까지 이것저것 섞어서 만든 술을 마시고, 그 다음 날은 잠 속에 빠져 있는 것이었다.

테스는 매 주일마다 거듭되는 이 놀이에 오랫동안 어울리지 않았다. 하지만 나이 든 부인네들이 권했기 때문에 마침내 테스도 토요일 밤, 체이스버러로 갔다. 처음이었지만 그녀는 처음 생각했던 것보다 즐겁게 놀았다.

일주일 내내 양계장 일에 묶여 있다 보니 쉽게 유쾌해졌다. 워낙 예뻤기 때문에 그녀는 체이스버러의 모든 남자들의 시선을 끌었다. 그래서 혼자 거기에 갔다가도 돌아올 때에는 늘 자기를 보호해 줄 길동무가 있었다. 축제일을 핑계로 거기에 놀러 온 패들은 술집에서 두 배로 즐거움을 맛보고자 했다.

밤 아홉 시가 넘어, 테스가 같이 돌아갈 패들을 기다리고 있는데, 우연히도 더버빌과 만나게 되었다.

"우리 예쁜 아가씨가 웬일이야? 이 밤중에 여기 있는 건?"

그녀는 집에 돌아가기 위해 길동무를 기다린다는 말을 했다.

"기다릴 필요는 없어. 플라워 드루의 주막으로 와요. 그럼 마차를 빌려서 집까지 태워 보내 줄게."

테스는 그 말에 귀가 솔깃했으나 애초부터 이 남자를 못 믿었기 때문에 거절했다.

"좋아, 이 고집쟁이야! 네 마음대로 해!"

알렉은 사라지고 트랜트리지 마을 사람들은 집으로 돌아갈 준비들을 했다. 테스는 그 사람들과 섞여 때로는 이 사람과 때로는 저 사람과 어울려 걸어갔다. 걷는 동안 지나치게 술을 마신 탓으로 사나이들은 이리저리 비틀거렸고, 여자들 중에도 그런 여자가 있었다.

넓은 큰길을 제각기 걷다가 어느 밭에 있는 문을 통과하는 곳까지 이르렀을 때, 맨 앞에 선 사람이 그 문을 여는 동안 일행은 그 뒤에 서서 기다리게 되었다.

앞에 선 사람은 카드를 잘하는 카 다치로서, 그녀의 등나무 바구니에는 식료품과 옷감, 그 밖에 일주일 동안 쓸 물건들이 들어 있었다.

바구니가 무거웠기 때문에 그녀는 바구니를 머리에 이고 두 손을 양쪽 허리에 짚고 걸었다.

"어머나, 네 등뒤에 기어 내리는 게 뭐지, 카 다치?"

일행 중 누군가가 물었다.

그녀의 옷은 얇은 무명 사라사 천이었는데, 그녀의 목덜미 뒤로부터는 무언가 밧줄 같은 것이 마치 길게 땋은 머리처럼 허리까지 늘어져 있는 게 보였다.

"머리채가 늘어진 거겠지."

한 사람이 그렇게 말했으나 눈치 빠른 다른 부인이 말했다.

"물엿이야."

그것은 확실히 물엿이었다. 카의 할머니는 단 것을 무척 좋아했다.

벌꿀이라면 집의 벌집에도 가득 있었지만 할머니가 물엿을 좋아하기에 카는 물엿을 샀던 것이다.

카가 놀라서는 바구니를 내려놓고 보니, 물엿이 담긴 단지가 깨져 있었다. 화가 난 카는 풀밭 위에 누워 이리저리 몸을 굴리며 겉옷에 묻은 물엿을 닦으려 하였다. 카의 그런 꼴을 보고 사람들은 배를 움켜쥐고 웃어댔다. 그 때까지 잠자코 있던 테스도 그 같은 야단법석에는 웃지 않을 수가 없었다. 그것이 잘못이었다.

얼굴이 까만 카드의 여왕은 일행 가운데서 가장 아름다운 테스의 웃음소리를 듣자, 오랫동안 가슴에 품어온 테스에 대한 질투 때문에 욕을 하기 시작했다.

"잘도 웃는구나, 이 몹쓸 계집애야!"

"모두들 웃으니까 나도 참을 수가 없었어요."

테스는 변명하면서도 여전히 킥킥대었다.

"네가 제일 잘난 줄 알지? 요즘 그이가 널 제일 좋아한다면서? 하지만 네까짓 것 둘쯤은 나 혼자라도 당해낼 수 있어. 내 맛 좀 볼래!"

테스는 기겁을 했다. 피부가 까만 여왕이 윗옷을 벗으려 했기 때문이다. 마침내 그녀의 토실토실한 목덜미며 어깨며 두 팔이 달빛 아래 온통 드러났다.

"난 싸우는 건 싫어!"

테스는 차분하게 말했다.

"네가 그런 천한 여자인 줄 알았더라면 너 같은 사람들과 함께 오지도 않았을 거야."

다른 사람까지 비웃는 듯한 테스의 말 때문에 분위기가 더욱 나빠졌다. 더군다나 카처럼 더버빌을 좋아하는 여자들은 카와 한패가 되어 더 심한 욕설을 했다.

분위기가 나빠지자, 다른 사람들은 테스가 괜히 욕을 먹는 걸 말리려 했으나, 결과는 오히려 싸움에 부채질을 한 셈이 되고 말았다.

테스는 분하기도 하고 부끄럽기도 했다. 혼자 걷는 두려움이나 시간이 늦은 것도 이제는 걱정이 안 되었다. 다만, 어서 이 자리에서 벗어나고픈 일념뿐이었다.

그 때 길 건너의 울타리 쪽에서 말을 탄 남자가 모습을 나타냈다.

"왜 이렇게들 야단법석이지?"

사실, 그는 좀 뒤떨어져 오면서 몰래 상황을 지켜보고 있었던 것이다.

테스는 혼자 떨어져 서 있었다. 알렉은 그녀 쪽으로 몸을 굽히고는 속삭였다.

"자, 뒤에 올라타."

테스는 그들에게서 빨리 벗어나고 싶어 말 위에 훌쩍 올라탔다.

안개 속을 헤매는 테스

두 사람은 아무 말 없이 그대로 달려갔다.

테스는 더버빌에게 매달려 안도의 한숨을 쉬었지만 마음 한구석이 불안했다.

말을 타고 가는 동안, 어슴푸레한 안개가 두 사람의 주위를 에워쌌다. 말은 트랜트리지로 향하는 갈림길을 지나 딴 곳으로 가고 있었다.

테스는 안개 때문이었는지 아니면 졸음 때문이었는지 그 사실을 까맣게 모르고 있었다. 테스는 이루 말할 수 없을 정도로 피로했다.

일주일 내내 아침 다섯 시에 일어나 밤늦게까지 일한데다가, 오늘은 체이스버러까지 5킬로미터나 걸었을뿐더러, 돌아가기 위해 세 시간 동안이나 마을 사람들을 기다리고 있었기 때문이다.

그녀는 피곤한 나머지 깜박 잠이 들었다. 그녀의 머리는 어느새 청년의 등에 기대고 있었다. 더버빌은 슬쩍 테스의 허리에 팔을 감았다.

테스가 놀라 얼른 그를 떠다밀자 그는 말에서 굴러 떨어질 뻔했다.

"당신이 떨어지지 않게 하려던 것뿐이야."

"용서하세요."

"나를 믿는다는 증거를 보이지 않는다면 용서 못하겠어. 너 같은 계집애한테 내가 왜 이런 대접을 받아야 하지!"

"전 내일 떠나겠어요."

"그건 안 돼! 다시 말하겠는데 날 믿는다는 증거를 보여 줘. 내 팔에
한 번만 안겨 줘."

테스는 안장 위에서 불안스레 몸을 비틀며 화가 난 채 숨을 거칠게
몰아 내쉬었다.

"몰라요."

알렉은 바라던 대로 그녀를 껴안았고 테스도 그 이상은 반항하지 않
았다. 두 사람은 그런 자세로 앞으로 나아갔는데 그때서야 테스는 길을
잘못 들었다는 것을 알아차렸다.

"아니, 여기가 어디에요?"

테스가 외쳤다.

"숲 옆을 지나고 있는 거야. 여긴 체이스 숲이야. 영국에서 가장 오래
된 숲이지."

"어쩌면 사람을 이렇게 속일 수가 있어요?"

테스는 놀라움과 절망에 빠져 남자의 팔로부터 벗어나고자 했다.

"내려 주세요! 전 걸어 돌아가겠어요!"

"이 안개가 없어도 걸어서 돌아갈 수는 없어."

"괜찮아요. 내려만 주세요."

"좋아! 하지만 여기가 어디인지 나도 모르니, 확인하고 내려 주지."

그녀가 그렇게 하라고 말하면서 말의 왼편으로 내리려는 순간, 알렉
은 재빠르게 그녀의 입술을 빼앗았다. 그리고는 산더미같이 덮인 낙엽
속에다 테스가 잠시 쉴 곳을 만들어 주었다.

"거기 앉아. 낙엽은 아직 축축하지 않으니까. 그런데 테스, 당신 아버
진 오늘 새 말이 한 마리 생겼어. 누가 준 건지 알아?"

"누가요? 당신인가요?"

"그리고 애들도 장난감을 받았어."

"전혀 몰랐어요. 애들에게 장난감까지 보내 준 것은……."

그녀는 매우 감격해서 중얼거리듯 말했다.

"테스, 당신은 아직도 내 생각은 조금도 안 하는군."

"아니오. 저도 고맙긴 해요."

그녀는 내키지 않았지만 고맙다고 말했다.

그녀는 그의 친절한 마음이 그녀의 육체에 대한 욕망 때문이라고 생각하니 두 눈에서 눈물이 흘렀다. 그러다 마침내 왈칵 울어 버리고 말았다.

"울지 마, 테스! 자, 여기 앉아서 내가 돌아올 때까지 기다려 줘."

남자는 울고 있는 테스의 어깨 위에 손을 얹으며 말했다.

"모슬린 옷밖에 걸친 게 없군."

"제겐 제일 좋은 여름옷이에요. 집을 나올 땐 더웠는데……."

"그럼 예쁜이, 여기서 쉬고 있어요. 곧 돌아올게."

남자는 나무들 사이를 지나 거미줄 같은 안개 속으로 뛰어들어갔다.

알렉 더버빌은 언덕을 넘어 다음 골짜기로 내려서 보았다. 그러고 보니 대충 길을 알 것 같았다. 그는 곧 테스를 데리러 되돌아왔다.

알렉은 가까스로 테스가 있는 곳으로 돌아왔다.

"테스!"

아무런 대답이 없었다.

더버빌은 몸을 굽혔다. 새근거리는 그녀의 고른 숨소리가 들렸다.

무릎을 꿇자 그의 뺨이 테스의 뺨에 맞닿았다.

테스는 곤히 잠들어 있었다.

체이스 숲에서 자라는 주목과 떡갈나무가 드높이 서 있었고 가까이에서는 토끼들이 살금살금 뛰고 있었다.

엷은 비단결처럼 부드럽고 눈처럼 순결한 이 처녀의 몸에 추잡한 낙인이 찍히지 않으면 안 될 운명이 다가오고 있었다.

테스는 자기의 운명을 개척하기 위해 트랜트리지의 양계장으로 떠났지만, 그녀를 덮칠 이 불행은 그녀를 예전의 테스로 되돌아갈 수 없게 만들었다.

집으로 돌아간 테스

바구니는 무겁고 보따리는 컸으나 테스는 무겁다는 느낌이 전혀 들지 않았다.

시월 말의 어느 일요일 아침. 테스가 트랜트리지에 도착한 지도 한 계절이 흘렀고, 체이스 숲에서 남자에게 불행한 일을 당한 지도 삼 주일이 지난 어느 날이었다.

집에서 지내던 때의 순결한 처녀와는 전혀 다른 사람이 된 테스는 괴로운 생각에 잠겨 꼼짝도 않고 서 있었다. 테스는 자기가 걸어왔던 길을 돌아보았다. 체이스 숲으로 통하는 골짜기를 보는 것이 견딜 수 없었기 때문이다.

멀리 한 대의 이륜 마차가 올라오는 것이 보였다. 마차 곁에는 남자 하나가 따라 올라오고 있었는데, 그는 테스의 주의를 끌고자 손을 흔들고 있었다.

테스는 남자의 신호에 따라 아무 표정 없이 서서 그를 기다렸다.

"뭣 때문에 이렇게 몰래 도망가는 거지? 당신이 가겠다고 하면 누가 막지도 않을 텐데 말이야. 내가 뒤따라온 건 당신을 마차에 태워 주려는 생각에서야."

"전 돌아가지 않아요."

테스가 말했다.

"그래, 그럴 줄 알았어. 그렇다면 바구니를 여기에 놔. 내가 태워다 줄 테니까……."

그녀는 될 대로 되라는 식으로 바구니와 보퉁이를 마차 위에 올려놓고 자기도 올라탔다. 그녀는 조금도 남자를 꺼리지 않았다.

몇 마일 더 가자 수풀이 나왔다. 그 곳에 말로트 마을이 있었다. 그제서야 처음으로 그녀의 조용하고 무표정한 얼굴에서 눈물이 한두 방울 떨어졌다.

"왜 우는 거야?"

쌀쌀맞게 남자가 말했다.

"저 같은 건 차라리 태어나지 않았으면 좋았을 걸 그랬어요."

"트랜트리지에 오고 싶지 않았다면서, 안 왔으면 될 거 아니야?"

"전 당신의 속셈을 미처 몰랐어요. 알았을 땐 이미 늦은 거예요."

"그건 어떤 여자나 다 똑같이 하는 소리야."

"어떻게 그런 말을 하죠?"

테스는 화가 나 매서운 눈으로 그를 쏘아보며 외쳤다.

"정말 기가 막히는군요! 당신 같은 인간은 마차 밖으로 걷어차 버렸으면 좋겠어요."

"알았어. 기분을 상하게 했다면 미안해. 하지만 그렇게 초라하게 입기보다는 멋지게 단장할 수도 있잖아?"

테스는 남자를 비웃지 않을 수 없었다.

"당신한테선 이젠 아무것도 받지 않겠다고 했잖아요. 계속 그랬다가는 당신의 노리개밖엔 안 될 거예요. 그게 난 싫어요."

"아무튼 당신은 누가 보아도 공주님처럼 도도하군. 정말 전통 있는 더버빌 가문의 자손 같단 말씀이야."

그녀가 더 이상은 타고 가지 않겠다고 버티자, 더버빌은 나무가 우거져 있는 곳에서 마차를 멈추었다. 테스가 잠시 그를 쳐다보고는 이내 짐을 들고 돌아서려 하자 더버빌이 말했다.

"설마 이대로 영영 헤어질 생각을 하는 건 아니겠지, 테스?"

"어디 한번 마음대로 해 보세요. 지금까지 당신은 절 마음대로 해왔잖아요!"

남자가 그녀의 뺨에 입을 맞추었지만 테스는 대리석처럼 무표정하게 서 있었다. 그의 키스는 반은 의무감 때문이었고 반은 타다 남은 정열 때문이었다. 남자는 한숨을 쉬었다. 양심의 가책을 느끼는 것처럼.

"잘 가요, 넉 달 동안의 사촌누이!"

그는 마차에 뛰어오르자 이내 고삐를 당겨 높은 울타리 사이로 사라져 버렸다.

테스는 그러한 그의 모습을 돌아보지도 않고, 오솔길을 돌아 느린 걸음으로 걷고 있었다. 해는 겨우 산마루를 올라섰을 뿐이어서 따스한 느낌이라고는 없었다. 테스는 혼자서 쓸쓸히 걷고 있었다.

그렇게 걷던 테스는 발자국 소리를 들었다. 남자의 발자국 소리였다.

그 남자는 테스의 뒤에서 다가서며 그녀에게 인사를 건넸다.

"안녕하십니까?"

언뜻 보기에 무슨 직공 같았다.

그는 빨간 페인트가 들어 있는 양철통을 들고 있었는데, 시원스러운 태도로 그녀의 짐을 들어 주겠노라고 말했다.

그렇게 두 사람은 나란히 걷기 시작했다.

"안식일 아침인데도 아주 일찍 일어나셨군요."

그가 쾌활하게 말했다.

"네."

테스가 무관심한 듯 대답했다.

"내가 평소 일하는 것은 보통 사람들의 영광을 위해서지만, 오늘 같은 안식일에 일하는 건 하느님의 영광을 위해서지요. 잠깐만 기다려 주시겠습니까? 이 목장 층층대에 조금 볼일이 있어서요. 오래 걸리진 않습니다."

남자는 말을 마치자 목장으로 들어가는 입구 쪽으로 갔다.

그가 테스의 짐을 들고 있었기 때문에 기다릴 수밖에 없었다.

남자는 양철통을 길바닥에 내려놓고는 붓을 꺼내 층층대 맨 가운데에 있는 널빤지에 글을 적어 넣었다.

"너의 멸망은 아직 잠들지 않았노라."

(베드로 후서 제2장 3절)

평화로운 풍경, 나뭇잎들이 시들어 가는 숲의 바랜 듯한 빛깔, 지평선 위의 푸른 하늘로 인해 널빤지를 배경으로 한 주홍색의 글자는 너무도 선명하게 빛나 보였다. 그 말이 테스를 책망하는 말처럼 가슴속으로 파고들었다. 마치, 남자는 최근에 있었던 테스의 이야기들을 전부 다 알고 있는 것처럼 느껴졌다.

테스와 남자는 다시 나란히 걷기 시작했다.

그가 말했다.

"올 여름 저는 수백 킬로미터나 되는 거리를 돌아다니며 담벼락, 문, 층층대 할 것 없이 구석구석마다 성경 구절을 쓰고 다녔지요."

"제게 있어선 이 성경 구절이 아주 무서운 말이에요. 제 가슴을 짓누르고 있어요!"

이윽고 테스는 남자로부터 다시 짐을 받아들고 터벅터벅 걸어갔다.

집에 다다르자 그녀는 더욱 마음이 아팠다.

아래층에 있던 어머니가 불을 지피다 말고 놀란 몸을 일으켰다. 동생들은 아버지와 함께 이층에 있었다.

"아니, 웬일이냐, 테스?"

어머니는 너무도 뜻밖이어서 깜짝 놀라며 테스에게 키스했다.

"그래, 결혼을 하게 돼서 돌아온 거지?"

"아녜요, 그래서 돌아온 게 아녜요, 어머니!"

"그럼 쉬고 싶어서 온 거니?"

"네, 전 쉬고 싶어요."

"아니, 그럼 네 사촌은 널 아내로 맞아들이려는 게 아니었니?"

"그 사람은 사촌이 아녜요. 그리고 저랑 결혼할 생각도 없고요."

"어디 그 동안의 얘기를 들어 보자꾸나."

테스는 어머니의 가슴에 얼굴을 파묻고 모든 것을 털어놓았다.

테스의 고백을 듣고 난 더비필드 부인은 분해서 울상이 되었다.

"너와 그 사람에 관한 소문이 우리 마을까지 자자하게 퍼졌어. 어째서 넌 너 하나만 생각하지? 그 사람이 우리들한테 보내 준 것들을 좀 봐라. 그가 우리하고 친척이었기 때문에 그랬을 거야. 아니면 널 좋아했기 때문에 그런 게 틀림없어. 그런데도 넌 그 사람과 결혼하지 않겠다고?"

테스는 더 이상 어떻게 설명해야 할지 몰랐다.

그녀는 알렉에게 마음을 준 적이 없었다. 더욱이 지금에 와서는 눈곱만큼도 생각하고 싶지 않았다. 그저 그가 무서울 따름이었다. 그녀는 자기 명예를 위해서라도 그와 결혼하고 싶은 생각은 추호도 없었다.

"그 사람의 아내가 되고픈 생각이 없었다면 좀더 조심해야 했던 것 아니냐!"

"아아, 어머니도 참!"

가슴이 찢어질 듯한 고통을 느끼며 테스는 어머니를 보고 외쳤다.

"그런 걸 제가 어떻게 알아요! 넉 달 전 이 집을 나설 때 나는 철없는 여자애였어요. 왜 어머닌 남자는 무서우니까 조심하라는 말을 해주지 않으셨어요? 부잣집 딸들은 소설이라도 읽고서 그걸 알게 되겠지만, 전 그런 걸 깨우칠 기회도 없었어요."

더비필드 부인은 치맛자락으로 눈물을 훔치며 중얼거렸다.

"아무튼, 엎질러진 물이니 최선이나 다해야지 어떻게 하겠니. 모두가 하느님의 뜻인걸!"

죄

테스 더비필드가 가짜 친척집에서 돌아온 사건은 금방 온 마을 안에 퍼졌다.

그날 오후에 말로트 마을 처녀들과 옛 학교 동창들이 그녀를 찾아왔다. 그녀들은 대단한 사람을 찾아오듯 다림질한 나들이옷들을 차려입고 와서는 한없는 호기심으로 테스를 바라보았다.

그 남자가 더버빌 가의 이름난 바람둥이라는 소문은 그 마을에까지 알려져 있었기 때문에 테스의 기분은 몹시 안 좋았다.

젊은 처녀들은 테스가 잠깐 돌아선 틈에 서로들 쿡쿡 찌르며 이렇게 속삭였다.

"정말 예쁘지? 그리고 저 옷도 어쩌면 저렇게 잘 어울리니? 굉장히 많은 돈이 들었을 텐데, 그 사람이 선물한 걸 거야."

테스는 한쪽 구석에 있는 찬장에서 찻잔을 꺼내느라고 아무 얘기도 듣지 못했다. 만약 들었다면 그녀는 친구들에게 사실대로 낱낱이 말해 주었을 것이다. 친구들의 재잘거림, 웃음소리, 허물없는 농담에 테스의 기분도 차츰 풀어져 저녁 무렵에는 그녀도 친구들처럼 명랑해졌다.

차갑게 굳었던 얼굴도 부드러워지고 걸음걸이도 예전의 활기를 되찾아 온몸에서는 젊은 여자의 아름다움이 풍겨났다.

이따금 그녀는 마음이 어두워졌지만, 친구들의 질문에는 선배다운 대답을 해 주었다.

마치 남자에 관해 자기가 얻은 경험이 남들로부터 부러움을 살 만한 것이라고 스스로 인정하는 것처럼 보였다.

그러나 그녀는 곧 굳어진 표정과 냉정한 태도로 돌아갔다.

다음 날 아침, 그녀는 예전에 쓰던 침대 위에서 눈을 떴다.

지금 테스가 처해 있는 현실은 이제 누구의 도움이나 동정 없이 혼자 헤쳐나가지 않으면 안 될 길고 긴 가시밭길이었다.

이삼 주 정도가 지나자 테스의 마음은 다소 안정되었다.

어느 일요일 아침, 되도록 젊은 사내들의 눈길을 피해 아침 종이 울리기도 전에 집을 나서 교회의 아래층 한쪽 구석에 앉아 있었다. 이윽고 예배가 시작되었을 때, 사람들이 테스를 알아보고는 수군거렸다. 그 수군거림의 원인을 알고 있는 테스는 두 번 다시 교회에 나가지 않으리라 생각했다.

테스는 동생들과 함께 한방을 쓰고 있었는데, 그 방에 몸을 숨기고 있는 시간이 많아졌다. 그녀가 조용히 방에만 틀어박혀 지냈기 때문에 나중에는 사람들이 그녀가 어딘가로 떠난 것이라고 생각했다.

그 무렵 테스의 유일한 즐거움은 날이 어두워지면 산책을 나가는 일이었다. 그녀의 고독감을 달래 줄 수 있는 것은 산책뿐이었다. 그녀는 어둠도 두렵지 않았다. 그녀가 두려워하는 것은 어둠이 아니라 사람이었다. 그 쓸쓸한 언덕과 골짜기를 조용히 거니는 테스는 흡사 자연의 일부처럼 보였다.

테스는 늘상 자신을 '죄 없는 집'에 침입한 '죄 있는 자'로 생각했다. 생울타리에서 잠자는 참새들 사이를 걷거나, 달빛 아래 잔디밭을 뛰노는 토끼들을 바라보거나, 꿩이 앉아 있는 나뭇가지 아래서도 그녀는 자신의 '죄'를 생각했다.

세 례

팔월 어느 날 아침이었다.

밤새 자욱이 끼었던 안개는 햇살이 비치자 양털처럼 날리다 증발되어 점차 사라져 갔다. 태양은 금빛의 온후한 얼굴과 부드러운 눈매로 하느님 같은 활기와 열기를 가지고 지구를 내려다보고 있었다.

밭은 말이나 기계가 지나갈 수 있도록 이미 활짝 열려 있었다. 밭의 가장자리를 따라 60~90센티미터 간격으로 밀을 베어내고 길을 만들어 둔 것이다. 어른들과 젊은이, 여자들로 이루어진 사람들의 그림자가 동쪽 산울타리에 걸려 있었다. 위로는 햇살의 은혜를 받고 있었지만, 그들 발 아래는 아직 새벽빛이었다.

정오가 가까워오자 기계가 베어놓은 밀은 한 단씩 옆으로 쌓여지고 기계는 앞으로 나아갔다. 단을 묶는 사람들은 대부분이 여자였지만 남자들도 섞여 있었다. 그러나 역시 단을 묶는 사람들 가운데 눈을 끄는 것은 여자들이었다. 평소에는 보잘것없지만 일을 할 때에는 그 존재의 아름다움이 빛나는 것이다.

여자들은 거의가 처녀들이었다. 그들은 햇빛을 가리기 위해 차양이 큰 무명 모자를 쓰고 있었고, 손이 상하지 않도록 장갑을 끼고 있었다.

그날 아침 사람들의 시선은 짧은 연분홍 윗옷을 입은 테스에게로 모아지고 있었다. 다른 여자들보다 몸매가 날씬했고 용모가 뛰어났기 때문이다. 그러나 그녀는 모자를 눈썹 위까지 깊숙이 눌러쓰고 있어서, 단을 묶고 있는 동안에는 조금도 그 얼굴을 볼 수가 없었다. 모자 밖으로 늘어진 두어 가닥의 짙은 갈색 머리로 그녀가 누구인지 짐작할 수 있을 뿐이었다.

그녀는 기계처럼 단조로운 동작으로 단을 묶어 나갔다. 막 묶어놓은 단에서 이삭을 한줌 뽑아내어 왼손으로 그 윗부분을 살짝 쳐서 가지런히 했다. 단을 묶는 동안 이따금 불어오는 미풍에 모자 끈을 다시 매기도 하였다. 그 때서야 비로소 그녀의 아름다운 얼굴이 보였다. 시골에서 자란 보통 처녀와는 달리 뺨은 희었고 이는 고르며 입술은 빨갰다. 손에 낀 장갑과 윗옷 사이로는 상처 난 팔이 드러나 보였다.

열한 시가 다 되었을 때 여섯 살부터 열네 살 또래의 아이들이 언덕 위에 모습을 나타냈다. 일꾼들은 아이들이 가지고 온 점심을 먹기 시작했다. 허리에 빨간 손수건을 두른 남자가 테스에게 맥주를 권했지만 그녀는 사양했다.

그녀는 다 먹고 큰 목소리로 동생을 불러서 갓난아기를 받아 안았다. 동생은 아기를 내려놓자마자 다른 아이들 틈에 끼였다. 테스는 남들의 눈을 피해 가면서, 그러나 대담하게 윗옷의 단추를 풀고는 갓난아기에게 젖을 물렸다. 그제서야 사정을 눈치챈 사람들이 얼굴을 밭 쪽으로 돌렸다.

갓난애의 배가 불러오자 젊은 어머니는 아기를 무릎 위에 세우고는 차가운 표정으로 아기를 얼러댔다. 그러다가 갑자기 몇십 번이고 아기에게 키스를 퍼부어 댔다. 사랑과 미움이 복잡하게 뒤엉킨 이상한 키스를 받은 아기는 마침내 울음을 터뜨렸다.

사실 테스는 여러 달 만에 밭에 나왔다. 어떤 고난이 닥칠지라도 살

기 위해 새 출발을 해야겠다는 생각을 했기 때문이다. 몇 달 동안의 후회와 괴로움 끝에 비로소 그런 생각이 떠올랐던 것이다. 아무리 깊은 상처라도 세월이 흐르면 아물게 된다는 것을 그녀는 깨달았던 것이다.

그녀는 웬만큼 기운을 되찾았고 전처럼 산뜻한 옷차림을 하고 밭으로 일하러 나왔다.

그녀는 갓난아기를 안고 있으면서도 당당하고 태연하게 사람들을 쳐다보았다. 잠시 후, 테스는 제일 큰 동생을 불러 아기를 건네준 다음 옷매무새를 가다듬고 다시 장갑을 끼었다. 테스는 어두워질 때까지 사람들과 함께 밀을 추수했다. 그리고 그들과 함께 큰 짐마차를 타고 집으로 돌아왔다.

그 사건 이후로 테스는 마을 사람들에게 경각심을 불러일으키기도 했지만, 동정과 관심을 한 몸에 받게 되었다. 사람들은 그녀에게 친절했기 때문에 그녀는 괴로움을 잊고 용기를 가질 수 있었다. 어느덧 테스는 예전의 명랑함을 되찾았다.

그녀가 집에 돌아오자 갓난아이는 앓고 있었다. 원래가 허약한 체질이어서 좋지 않은 일이 생길지도 모른다는 생각은 했지만 그 일은 그녀에게 커다란 충격이었다. 그 아기가 세상에 태어난 것 자체가 도덕을 위반한 것이지만 어머니는 그 사실을 잊고 있었다. 다만, 아이와 함께 살아가면서 속죄하고 싶은 것이 젊은 어머니의 소망이었다. 그러나 아이는 그런 젊은 어머니의 소망을 너무도 빨리 저버릴 것처럼 보였다.

아기는 세례도 받지 못했던 것이다. 잠자리에 들 무렵 그녀는 층계를 달려 내려가 목사를 불러다 달라고 말했다.

그 무렵 그녀의 아버지는 테스가 가문의 명예를 더럽혔다는 생각을 하고 있었는데, 그 때 막 롤리버 주막에서 돌아오고 있었다. 그는 목사고 무엇이고 간에 집안에 발을 들여놓을 수 없다고 딱 잘라 거절했다. 그는 문을 모두 잠그고 열쇠를 주머니 속에 넣어 버렸다.

식구들은 무심하게 모두 잠자리에 들었고, 그녀는 한없는 슬픈 마음으로 다시 자기의 침실로 갔다. 뜬눈으로 어린애를 밤새 지켰지만 병세는 더욱 악화되었다. 테스는 침대 위에서 슬픔을 억누르지 못한 채 안절부절못하고 있었다. 시계는 음울하게 새벽 한 시를 알렸다.

아기가 아직 세례를 받지 못했다는 사실과 아비 없는 자식이라는 것 등 이중의 죄 때문에 그녀는 자신이 지옥에 떨어질 것이라고 생각했다. 모두가 잠든 조용한 집 안에서 그녀의 잠옷은 땀에 흠뻑 젖었고 심장은 쿵쿵거리며 뛰었다. 아기의 호흡은 더욱 가빠졌다. 그녀는 아기에게 입을 맞추고 달래며 애를 써보았지만 아무 소용이 없었다.

테스는 장롱에 기대앉아 오랫동안 기도하다가 갑자기 몸을 일으켰다. 그녀는 깊이 잠든 남동생과 여동생을 깨워 일으켰다. 그런 다음 세숫대

야를 잡아당겨 그 뒤에 서고는 물병에서 물을 조금 따른 뒤, 동생들을 그 곁에 돌려 앉혀 기도하는 자세를 취하도록 했다. 잠이 채 깨지 않은 동생들은 누나의 태도에 겁을 먹었지만 그녀가 시키는 대로 했다. 테스는 아기를 침대로부터 안아 내렸다. 테스가 아기를 안고 세숫대야 곁에 서자 바로 아래 여동생이 테스 앞에 성경책을 펼쳐 내밀었다.

그녀는 자기 아기에게 세례를 주기 시작했다.

긴 잠옷을 입고 검은 머리채를 땋아 허리까지 늘어뜨린 채 서 있는 테스의 모습은 이상하리만큼 크고 늠름해 보였다. 테스는 세례 의식을 거행하는 동안 창세기 속의 한 구절에서 이름 하나를 따왔다.

"소로우(슬픔이란 뜻)여, 성부와 성자와 성령의 이름으로 나는 그대에게 세례를 주노라!"

테스는 아기에게 물을 뿌렸다. 모두들 조용해졌다.

"자, 다 같이 아멘이라고 해."

동생들은 조그맣고 순진한 목소리로 순순히 응했다.

"아멘."

그들은 경건했다.

"우리는 이 아이를 받아 그 이마에 십자가의 표시를 주노라."

그녀는 대야의 물을 둘째손가락에 묻혀 아기 이마 위에다 큼직한 십자가 표시를 그렸다. 그리고는 이 아이가 죄악과 세상의 마귀와 싸워서 생명이 다하도록 충실한 하느님의 병사가 되고 종이 되겠다는, 판에 박은 성경 구절을 계속 읽었다. 그리고 주기도문을 읽기 시작하자 동생들도 나지막한 목소리로 따라 했다. 그리고 끝에 이르러서는 큰 소리로 '아멘' 하고 부르짖었다.

햇빛이 희끄무레하게 밝아 오는 새벽녘에 하느님의 약하고 어린 종은 마지막 숨을 거두고 말았다.

그날 밤 갓난아기의 시체는 조그만 나무 상자에 넣어진 다음, 어머니의 낡은 목도리에 덮여 묘지로 운반되었다. 테스는 소문난 술꾼들과 자살자와 그 외 지옥에 떨어질 것이 뻔한 자들이 즐비하게 묻혀 있는, 쐐기풀이 무성한 묘지 한구석에 아기를 묻었다.

테스는 용기를 내어 막대기 두 개와 한 오라기의 실로 작은 십자가를 만들었다. 거기다 꽃을 묶어, 어느 날 밤 사람들의 눈을 피해 묘지로 들어가 무덤 꼭대기에 꽂았다.

새로운 시작

테스는 겨우내 집 안에 틀어박혀 집안일을 했다. 더버빌에게 받은 새 옷을 뜯어 동생들의 옷을 만들어 주기도 했다. 그러나 그녀는 이따금씩 두 손을 머리 뒤로 깍지를 끼고 깊은 생각에 잠겼다.

어느 날 오후, 거울 속에 비친 아름다운 자기 얼굴을 바라보다가 갑자기 지나간 과거보다 앞으로의 날들이 중요하다는 생각을 했다. 그 아름다움이 사라진다는 것은 죽음을 의미했다. 언제 죽을지는 알 수 없지만 그 죽음에 대한 깨달음이 그녀를 더욱더 깊은 생각에 잠기게 했다.

'대체 그 날이 언제일까? 그 날이 하루하루 다가와도 어째서 사람들은 두려워하지 않는가?'

테스는 단순한 소녀에서 생각이 많은 복잡한 여인으로 변해가고 있었다. 깊은 사색의 흔적은 얼굴에도 나타났지만, 목소리까지도 서글픔을 풍겼다.

누가 보아도 진정 아름다운 여자가 되어가고 있었다. 그 모습은 아름답고 매력이 넘쳐흘렀으며, 그녀의 정신은 폭풍과도 같은 경험에 시달렸지만 여전히 건강했다. 테스는 희망에 찬 생명의 고동소리가 다시 한

번 자기 가슴속에서 뜨겁게 뛰고 있음을 느꼈다.

'한 번 잃으면 영원히 찾지 못한다는 말이 정조에 있어서도 적당한 말일까?'

그녀는 스스로에게 물었다.

지나간 일을 감출 수만 있다면 그것이 그릇된 말임을 증명할 수도 있을 것 같았다.

테스는 새 출발의 기회가 찾아오길 오랫동안 기다렸다.

유난히 화창한 봄이 다시 왔고 생명의 소리가 여기저기서 들리는 듯했다. 그 소리가 들짐승들의 마음을 흔들 듯, 테스도 그 소리에 힘입어 어딘가로 떠나고 싶었다.

오월 초순의 어느 날, 벌써부터 어머니가 일자리를 부탁해 두었던 어머니 옛 친구로부터 편지가 왔다. 답장에는, 여기서 남쪽으로 몇 마일 떨어진 낙농장에서 소젖 짜는 솜씨가 능숙한 여자를 찾는 중인데, 거기에서 여름 동안 테스를 고용하겠다는 내용이 담겨 있었다. 그 곳은 테스가 바라던 만큼 멀리 떨어진 곳은 아니었으나, 그녀에 대한 소문이 거기까지는 퍼지지 않았을 것 같았다.

테스는 자기가 일하게 될 그 곳에 은근한 흥미를 갖고 있었다. 그녀가 일할 그 낙농장은 톨버세이스에 있었는데, 더버빌의 집안에서 세도가 당당했던 증조할머니들이나 그 남편들의 유골 안치소가 모두 그 부근에 있었다.

말로트를 떠나는 테스

트랜트리지에서 돌아온 테스는 이삼 년 동안 묵묵히 새로운 삶을 찾기 위해 노력했다.

사향도 향기롭고 새들도 알을 품는 그 해 오월 어느 날 아침, 그녀는 두 번째로 집을 나섰다. 나중에 보낼 수 있도록 짐을 꾸려 놓고 전세 마차를 타고 스타워캐슬이란 조그만 읍내를 향해 떠났다. 이번 여행의 방향은 첫 번째 때와는 거의 반대 방향이었지만 스타워캐슬을 꼭 지나야만 했다.

그녀는 한시바삐 떠나고 싶었지만, 언덕에 올라서서 말로트 마을과 자기 집을 서운한 눈길로 돌아보았다. 이제 그녀는 말로트 마을을 떠나는 것이다. 남아 있는 동생들은 전과 다름없이 하루하루를 보낼 것이다.

테스는 멈추지 않고 스타워캐슬을 지나 큰길의 교차로를 향해 곧장 걸어갔다. 여기서라면 남쪽으로 가는 역마차를 잡아탈 수 있으리라.

그렇게 기다리며 가고 있는데, 같은 방향으로 한 농장주가 스프링이 달린 짐마차를 몰고 왔다. 처음 보는 사람이었지만 타도 괜찮다고 했기 때문에, 그녀는 그의 옆자리에 올라탔다. 테스는 마차 주인이 자기를 태워 준 것은 오직 자신의 얼굴 때문이라는 것을 알고 있었지만 모른 체하며 올라탔다.

짐마차에서 내린 그녀는 버드나무가 우거진 널따란 언덕까지 걸어갔다. 테스가 일할 농장은 언덕 아래 낮은 골짜기에 있었다. 테스는 길을 잘못 들었기 때문에 거의 두 시간을 헤매고서야 농장에 도착했다.

그 곳에서는 우유와 버터가 풍성하게 만들어져 '큰 낙농장의 골짜기'라고 불리었으나, 맛은 '작은 낙농장의 골짜기' 라고 불리는 블랙무어의 것보다 못했다.

그 곳은 굉장히 넓었다.

농장도 컸지만 가축의 수도 셀 수 없을 만큼 많았다. 부드러운 남풍 속에서 테스는 희망에 찬 걸음걸이로 걸었다. 그녀는 바람이 싱그럽게 불 때마다 즐거운 소리를 들었고, 새들의 지저귐 속에서 기쁨의 소리도 함께 들었다.

그녀의 얼굴은 마음의 상태에 따라 수시로 바뀌었다. 마음이 즐거우면 한층 더 예뻐졌고, 심각하고 우울할 땐 평범한 얼굴이 되었다. 어떤 때는 한 점의 티도 없는 분홍빛 얼굴을 볼 수 있는가 하면, 어떤 때는 창백하고 서글픈 표정이 되어 있었다. 그러니까 기분이 좋으면 좋을수록 그녀의 얼굴은 아름다워졌다. 남풍 속에 있는 그녀의 얼굴은 어느 때보다도 아름답게 보였다.

그녀는 생기 있는 얼굴로 감사의 마음을 가지게 되었고 희망도 점점 더 부풀어올랐다. 스스로의 삶을 개척하기 위해 한걸음 내디딘 그 작은 성공에서도 테스는 만족해했으며 흥분하고 있었다. 그것이 테스가 가진 특별한 기질이었다.

테스 더비필드는 가슴을 곧게 펴고 목적지인 낙농장을 향해 내려갔다. 갑자기 낮은 골짜기의 사방에서 몇 번이나 목청을 길게 뽑아 외치는 소리가 들려왔다.

"워어이—— 워어이—— 워어이!"

그 소리는 동쪽 끝에서 서쪽 끝까지 메아리쳤다. 그 속에는 개 짖는 소리까지 함께 뒤섞여 있었다. 그것은 젖을 짜야 할 시간을 알리는 소리였다. 낙농장의 남자들이 소를 몰아넣어야 할 시간은 네 시 반이었다.

테스는 소들이 들어가고 난 문 안으로 천천히 들어섰다.

낙농장의 일자리

소들이 목장으로부터 들어오자 낙농장에서 일하는 남자와 여자들이 몰려나왔다.

여자들은 나막신을 신고 있었는데, 뒷마당의 질펀한 거름 속에 빠지지 않기 위해서였다. 그녀들은 세 발 달린 의자 위에 걸터앉아 오른쪽 뺨을 젖소의 옆구리에 댄 채 젖을 짜면서 테스가 들어오는 것을 보고 있었다.

그 사람들 중에는 몸집이 꽤 탄탄해 보이는 중년의 남자가 있었는데, 그가 바로 이 낙농장의 주인이었다. 그는 번쩍이는 검은 양복을 입고 교회에 가는 날 이외에는 일주일 내내 젖을 짜며 버터 만드는 일을 하고 있었다.

그가 테스 쪽으로 걸어갔다.

대개의 낙농장 주인들은 젖 짜는 시간에는 무표정한 얼굴인데, 크릭이라는 농장 주인은 테스를 매우 반갑게 맞아주었다. 한창 일손이 딸리는 시기였기 때문에 그는 테스를 친절히 맞아들이면서 그녀의 어머니와 가족들에 대해 자세히 물었다.

"아, 그래요? 나도 젊었을 땐 그 고장에 대해 잘 알고 있었소. 한데 젖을 깨끗이 짜낼 수 있겠소? 이런 때 소의 젖이 멎기라도 하면 곤란해요."

그녀가 자신 있다고 대답하자 주인은 테스를 위아래로 훑어보았다. 오랫동안 집 안에만 있었던 테스의 얼굴은 몹시 창백해 보였다.

"잘 견딜 수 있을까? 튼튼한 사람들에겐 그다지 힘든 곳이 아니지만 그렇다고 오리를 기를 만한 일터도 못 되거든."

그녀는 잘 견뎌낼 수 있다고 딱 잘라 대답했고, 주인도 그녀의 적극적인 태도에 만족하는 것 같았다.

"손에 익어야 하니까 곧 일을 시작하겠어요."

주인은 제일 가까운 근처에 있는 암소를 턱으로 가리키며 말했다.

"사람과 마찬가지야. 젖이 잘 안 나는 놈도 있고 잘 나는 놈도 있어요. 하여간 그런 것도 곧 알게 되겠지."

테스는 머릿수건 대신 모자를 쓰고 소의 배 아래에 놓인 의자에 걸터앉아 젖을 짜기 시작했다. 우유통 속으로 젖이 흘러드는 것을 보자 정말 새로운 삶이 시작되었다는 사실을 실감할 수 있었다.

젖을 짜는 일꾼들은 남녀를 합쳐 많은 인원이었는데, 남자들은 젖꼭지가 굳은 소들을 맡고 있었으며 여자들은 온순한 소를 맡고 있었다.

이렇게 젖을 짜는 동안 주인이 어떤 남자와 이야기를 했다. 그는 소의 옆구리에 머리를 묻고 있었기 때문에 확실한 모습을 볼 수가 없었다. 주인은 그 남자를 선생이라고 불렀다. 테스는 주인이 왜 그를 선생이라고 부르는지 궁금했다.

"부드럽게 하시오, 선생. 젖을 짜는 건 기술이지 힘을 사용하는 게 아니니까."

"알고 있습니다."

그제서야 상대는 몸을 일으켜 두 팔을 보였다. 테스는 그를 똑똑히 볼 수 있었다.

사나이는 젖 짤 때 흔히 쓰는 흰빛 턱받이와 가죽 각반을 차고 있었으며, 장화에는 지푸라기가 더덕더덕 붙어 있었다. 겉모습은 그랬지만 어딘가 교양이 있어 보이고 내성적인데다 침울한 듯한 모습이 아무튼 여느 사람과는 다른 인상을 풍겼다.

테스는 그 남자를 어디서 본 것 같았지만, 그간 많은 일을 겪어 왔던 탓으로 한동안은 생각이 나질 않았다. 그러나 이윽고 그 사람이 말로트 마을에서 있었던 여자들의 들놀이 모임에 끼였던 도보 여행자였다는 생각이 어렴풋이 떠올랐다. 그러자 불행을 당하기 전에 있었던 일이 머릿속에 떠오르며, 상대가 자기를 알아보고 자신의 내력까지 알게 되면 어쩌나 하는 근심이 생기기 시작했다.

한편, 젖 짜는 여자들은 새로 온 테스에 대해 수군거리기 시작했다.

"저 여자 정말 예쁘지?"

저녁때 젖 짜는 일이 끝나자 여자들은 우르르 집 안으로 몰려들었다. 안에서는 안주인인 크릭 부인이 집안일을 보살피고 있었다.

이 낙농장 안에서 사는 사람은 겨우 두세 명의 여자뿐이고, 다른 일꾼들은 일이 끝나면 모두 자기 집으로 돌아갔다. 말로트에서 보았던 그 남자는 보이지 않았다.

테스는 남은 시간을 이용해 자기 침실의 잠자리를 정돈했다. 테스의 침실은 우유 창고 위층의 커다란 방으로, 다른 세 처녀들의 침대도 한 방에 놓여 있었다.

바로 옆 침대의 처녀는 자꾸만 테스에게 낙농장에 대해 이야기를 들려주고 싶어 했다. 그러나 테스는 피곤해서 의식이 몽롱했다.

"에인젤 클레어란 사람, 그러니까 젖 짜는 일을 배우는 사람 말이야. 하프도 켤 줄 알아. 그 사람 우리랑은 별로 말 안 해. 목사님의 아들인데 자기 일에만 골몰해서 여자한테 한눈파는 법이 없어. 우리 주인한테 농사짓는 법을 배우고 있지. 다른 고장에서는 양치는 법을 배웠고 이젠 젖 짜는 법을 배운다는 거야. 아주 점잖은 집안 태생이지. 그의 아버지는 에민스터의 클레어 목사님인데 여기선 꽤 먼 곳이야."

"응, 나도 그 사람 얘기는 들은 적이 있어……."

또 다른 처녀가 눈을 감고 듣고 있다가 눈을 뜨고 말했다.

테스는 졸다가 이윽고 아주 곤히 잠들었다.

목사의 아들

테스의 기억 속에서 어렴풋이 에인젤 클레어라는 사람이 떠올랐다. 굵직한 음성이라든가 멍청히 한군데만 바라보는 눈매라든가, 이따금씩 아랫입술을 야무지게 다무는 버릇 등이 그것이었다.

그는 가난한 목사의 막내아들로 다른 농장을 몇 군데 돌아다닌 끝에 낙농 기술을 배우고자 여섯 달 기한으로 여기에 와 있었다. 그가 농업이나 목축업에 손을 댄 것은 자신이나 주위 사람들도 전혀 예측하지 못한 일이었다.

그의 아버지 클레어 씨는 본처가 딸 하나만 남기고 죽자 느지막이 재혼해 세 아들을 얻었다. 그래서 아버지 클레어 씨와 막내아들 에인젤은 부자 사이라기보다는 할아버지와 손자 사이 같은 인상을 풍겼다.

삼 형제 가운데서 에인젤만이 대학을 나오지 못했으나 그는 어렸을 때 누구보다도 총명한 아이였었다. 에인젤이 말로트 마을의 들놀이에 나타나기 이삼 년 전 그는 고등학교를 졸업하고 집에서 공부를 하고 있었다.

에인젤의 아버지는 에인젤에게 목사가 될 것을 사정했으나 그는 거절했다. 그는 가고자 했다면 그의 형들처럼 케임브리지 대학에 들어갔을 것이다. 그러나 학교를 성직의 길로 나아가는 징검다리로만 생각하는 아버지 때문에 그는 대학에 가지 않았다. 그리고 아들 셋을 똑같이 교육시키려면 상당히 돈이 많이 들었기 때문에 독실한 아버지에게 그런 부담을 안겨 주고 싶지도 않았다.

"전 케임브리지에 가지 않겠습니다. 거기에 갈 이유가 없어요."

에인젤은 마침내 자신의 의견을 분명히 말해 버렸다.

그런 일이 있은 후에 에인젤은 이런저런 연구와 계획과 명상으로 여러 해를 보냈다. 한때 그는 세상 물정도 살피고 직업도 찾을 겸 런던으로 갔다가, 나이 많은 여자에게 빠져 방탕한 생활을 한 적도 있지만 다행히 별 사고 없이 끝났다.

사실 그는 그동안 너무 많은 시간을 낭비했다.

그런데 때마침 식민지의 농업가로 성공한 친구가 있어, 에인젤도 이 길을 생각하게 되었던 것이다. 식민지건 아메리카건 혹은 자기 나라에서든 농업이야말로 정신적 안정을 주는 일이라고 생각했다.

그리하여 스물여섯 살의 에인젤 클레어는 젖소 연구생으로서 이 곳 톨버세이스 낙농장에 나타나게 되었고, 때문에 낙농장 주인집에 기거하게 된 것이다.

그는 이 집 전체 길이만큼 길게 뻗친 지붕 밑 방을 사용했다. 거기는 치즈를 두는 방에서 사닥다리를 통해 올라가야 하는 곳으로, 그가 이 곳에 오기 전까지는 아무도 사용하지 않던 방이었다.

사람들은 모두가 잠들고 나서도 그가 지붕 밑 방을 왔다갔다하는 소리를 흔히 들을 수 있었다.

그는 처음 얼마간은 책을 읽거나, 아니면 경마장에서 사온 낡은 하프를 뜯으면서 울적한 마음을 달랬다. 그러나 점점 시간이 흐르자, 그는 아래층 부엌 식당에서 여러 사람들과 식사를 하면서 사람들의 성격을 파악하는 데 흥미를 느끼게 되었다.

그 곳에 묵고 있는 일꾼들은 많지 않았지만 식탁에는 항상 몇 사람이 더 끼여들었다. 클레어는 시간이 지날수록 그들과 함께 생활하는 것이 좋아졌다. 사람들 중에는 천재라 해도 좋을 만큼 영리한 사람도 있지만, 침울하고 우둔하며 또 난폭한 사람들도 있었고, 또한 엄격한 사람도 섞여 있었다.

아침 시간은 쌀쌀했기 때문에 식당에 불이라도 지펴야 할 정도였다.

크릭 부인은 클레어가 집안 사람들과 같은 식탁에서 식사를 하기에는 어딘가 너무 점잖은 사람이라고 생각했다. 그래서 식당 안의 커다란 난로 곁에 따로 그의 밥상을 차려 주었다.

테스가 오고 나서 며칠 동안 클레어는 우편으로 온 책과 잡지, 악보 따위를 열심히 읽느라고 그녀가 식탁에 앉아 있는 것도 몰랐다.

어느 날, 클레어는 악보 하나에 열중해서 어떤 상상 속으로 빠져들고 있었는데, 식탁에서 들려오는 소리가 상상 속의 관현악과 뒤섞였다.

그는 문득 이런 생각을 하고 있었다.

'젖 짜는 여자들 중에 저토록 피리 소리처럼 고운 목소리를 가진 여자는 누구일까? 아마 새로 온 여자겠지?'

그는 테스가 다른 여자들과 함께 앉아 있는 쪽을 돌아다보았다. 그녀는 그가 돌아보는 것을 의식하지 못했다.

"전 유령에 관한 건 몰라요. 하지만 우리들 영혼이라는 것이 살아 있는 동안에 얼마든지 몸 밖으로 나갈 수 있다는 걸 믿어요."

테스가 말했다. 그러자 주인은 입 안에 음식을 가득 담은 채 믿기지 않는다는 표정으로 테스에게 눈을 돌리며 물었다.

"영혼이 나간다고? 정말 그럴까?"

"영혼이 나간다는 걸 쉽게 증명해 보일 수 있어요. 밤에 풀밭에 누워서 아무 별이나 곧장 올려다보세요. 그 별에 마음을 주고 있으면 한참 후에는 자기 마음이 수백 킬로미터나 몸에서 떨어져 있는 것을 느낄 테고 그렇게 되면 몸 같은 건 전혀 하잘것없는 것으로 여겨질 테니까요."

주인의 제자인 클레어를 비롯하여 방 안 사람들의 시선이 모두 테스에게 쏠렸기 때문에, 그녀는 얼굴을 붉히며 조금 전에 말했던 것은 그냥 자기 생각이었을 뿐이라고 말했다.

클레어는 계속 그녀를 주시했다. 테스는 곧 식사를 마쳤는데 클레어가 언뜻 자기를 보고 있음을 느끼자 마치 감전된 듯 긴장했다.

클레어는 자기가 전에 테스를 만난 적이 있다는 생각이 들었다. 그저 돌아다니던 중에 우연히 만났을까? 굳이 캐내고 싶지는 않았다.

그러나 그가 누군가와 사귀고 싶은 마음이 생긴다면, 테스를 선택하리라 마음먹었다.

비 교

낙농장 주인의 제자 클레어는 요즈음 젖소를 늘어세우는 일을 도와주고 있었다.

테스는 젖을 짜기 위해 젖소에 몸을 기댄 채 의아스러워하는 눈길을 남자에게 보냈다.

"클레어 씨, 당신이 소를 늘어세웠죠?"

그녀는 낯을 붉히면서 겸연쩍은 듯 물었다.

"네, 하지만 아무려면 어때요? 당신은 늘 여기서 젖을 짜니까요."

"그렇게 생각하세요? 그러면 얼마나 좋겠어요!"

테스는 자기 말을 오해하지나 않았을까 하는 생각이 들어 기분이 상했다.

유월의 여름날 저녁때였다. 공기는 참으로 부드러웠고 고요했지만 지붕 밑 방에서 흘러나오는 선율은 테스에게 감동을 안겨 주었다.

테스는 전에도 머리 위의 지붕 밑 방으로부터 흘러나오는 그 선율을 들은 적이 있었다. 그것은 닫혀진 방 안에서 간신히 새어 나오는 낮고도 은밀한 소리였다.

지금은 선명하게 들려오는 선율로 조용히 공기를 가르고 있었다. 테스는 마치 뭔가에 홀린 새처럼 그 선율에 취해 꼼짝하지 않고 앉아 있었다. 테스는 시간과 공간조차도 의식하지 못했다. 그 선율은 미풍처럼 그녀의 마음을 스치면서 눈물까지 흘리게 만들었다.

하프 연주를 끝낸 남자는, 다른 곡을 기다리는 테스의 마음은 아랑곳

하지 않고 밖으로 나와 담장을 돌다가 그녀를 발견하고는 다가갔다. 그녀는 두 볼이 화끈하게 달아올라 그를 피하려 했지만, 에인젤은 테스의 엷은 여름옷을 바라보며 말을 걸었다.

"무엇 때문에 그렇게 피하죠, 테스? 내가 겁나나요?"

"어머나, 그런 건 아녜요. 집 밖에서는 겁날 것 없어요. 사과꽃도 하얗게 흩어져 있고 보이는 모든 것은 푸르기만 한데요 뭘……."

"그렇다면 집 안에 무서운 게 있나 보군요. 세상 사는 일이 그런가요?"

"네, 그래요."

"당신처럼 젊은 여자가 그런 심각한 생각을 하고 있다니, 참으로 뜻밖이군요."

인생과 자연에 대한 질문인 줄 알고 테스는 수줍은 듯이 말했다.

"나무들은 모두 무언가 묻고 싶은 눈초리들을 하고 있잖아요? 시냇물도 말하는 것 같아요. 너희들은 어찌하여 그런 얼굴로 나를 괴롭히느냐고, 그리고 수많은 내일들이 줄지어 서 있는데 맨 앞의 것이 가장 크게 보이고 그 뒤로 가면서 점점 작아지는 게 보여요. 그 날들이 전부가 하나같이 사납고 잔인하게 '자, 조심해! 내가 간다' 하고 말하는 것 같아요. 하지만 당신은 음악으로 아름다운 꿈을 꿀 수 있으니, 그런 두려움과 망상은 죄다 버릴 수 있잖아요?"

그는 테스가 하는 슬픈 생각에 몹시 놀랐다. 한편, 테스도 목사의 아들이 무엇을 슬퍼하는지 그 이유가 궁금했다.

그가 젖을 짜는 것은 부유한 낙공가·농업가·목축가가 되기 위해 경험을 쌓기 위해서이다. 하지만 테스는 독서나 음악을 즐기는 젊은 남자가 왜 농부가 되려는지, 왜 아버지나 형들처럼 목사가 되는 것을 거부했는지를 알고 싶었다.

두 사람은 상대방의 비밀을 알아내지는 못한 채 밖으로 드러난 것에만 놀라면서 서로에 대해 새로운 것을 알게 될 날을 기대하게 되었다.

처음에 테스는 에인젤 클레어를 그저 한 사람의 남자라기보다는 하나의 지성인으로 여기는 듯했다. 그녀는 그 남자와 자기를 비교해 보았다.

자기의 초라한 처지와 비할 바 없이 높은 위치에 올라앉아 있는 그와 자신을 비교할 때면 새삼 거리감이 느껴져 그녀는 풀이 죽었다.

어느 날, 에인젤은 그리스의 전원 생활에 대해 열심히 얘기하고 있었는데, 테스는 그 소리를 들으면서 자꾸만 기운이 빠졌다.

그녀는 꽃봉오리를 따고 있는 중이었다.

"아니, 왜 갑자기 슬픈 표정을 하고 있죠?"

클레어가 물었다.

"네……. 저, 제 생각 좀 하느라구요. 만약 내가 운이 좋은 여자였더라면 지금쯤 난 어떻게 되었을까 하구요. 선생님이 알고 계시는 것이 나 또는 읽고, 보고 느낀 게 많은 걸 알고서 전 제 자신이 얼마나 보잘것없게 여겨지는지 몰라요."

"그런 거라면 내가 기꺼이 도와주지요, 테스. 역사 공부라도 좋고, 당신이 원하는 공부라면 뭐든지 돕고 싶어요."

"역사에 관한 거라면 지금 알고 있는 것만으로도 족해요."

"그건 왜죠?"

"우리의 조상을 안다 한들 무슨 소용이 있겠어요. 옛날 책 속에서, 나와 같은 운명의 사람을 발견하고 내 인생도 앞으로 그 사람과 똑같아질 거라고 생각하면 슬프기만 한 걸요!"

"그럼 당신은 정말 아무것도 배우고 싶지 않다는 건가요?"

"제가 배우고 싶은 건, 햇살이 왜 선한 사람이든 악한 사람이든 가리지 않고 똑같이 은혜를 베푸는가 하는 거예요. 역사가 그런 건 가르쳐 주지 않잖아요."

"테스, 너무 그렇게 빈정대지 말아요."

물론 남자는 그저 상투적으로 그렇게 말하는 것뿐이었다. 자기 자신도 지난날 그런 의문을 가져 보지 않았던 것이 아니었기 때문에.

테스는 여전히 꽃의 껍질을 벗기고만 있었다. 클레어는 고개를 숙인 테스의 속눈썹이 물결처럼 부드러운 볼 위에서 곡선을 이루고 있는 것을 잠시 내려다보다 그 자리를 떠났다.

그가 떠난 뒤에 테스는 깊은 생각에 잠겼다. 그러다 문득 제정신을 차린 듯 자기의 어리석음에 대해 후회하면서, 따 모은 꽃들을 바닥에 내동댕이쳐 버렸다.

마음 속의 사람

계절은 빨리도 무르익어 갔다.

낙농장 주인 크릭 씨네 집에서 일하는 사람들은 아늑하고 평온하게 그리고 행복한 나날을 보내고 있었다. 그들의 생활은 이 세상 어느 누구보다도 행복한 것이었다.그들은 이제 먹고 입는 것이 궁하지 않았고, 예의 범절을 지킬 줄 알게 되었으며, 쓸데없는 유행을 따르지 않으면서도 만족한 생활을 했다.

테스도 예전에는 별로 누린 적이 없는 행복한 삶을 누리고 있었다. 무엇보다도 정신과 육체가 현재의 이 새로운 환경에 잘 적응하고 있었기 때문이다.

테스와 클레어는 무의식중에 서로를 지켜보면서 가까워질 듯하면서도 서로가 잘 그 고비를 넘겼다.

에인젤 클레어에게 있어서 테스는 아직까지 모습을 알 수 없는 하나의 환상에 불과했다. 그러나 이제 그 환상이 그의 의식 속에 자리잡기 시작했다.

두 사람은 늘 만났다. 그러지 않고서는 견딜 수가 없었다.

새벽의 자줏빛과 분홍빛으로 물드는 어슴푸레한 아침의 공기 속을 두 사람은 날마다 걸었다. 넓은 목장을 가득 채우고 있는 습기 먹은 희뿌연 새벽빛은 젊은 그들에게 마치 아담과 이브처럼 이 세상과 격리된 느낌을 갖게 했다.

테스는 누구보다도 일찍 일어났다. 클레어가 테스로부터 깊은 인상을 받은 것은 바로 이런 점이었다. 테스는 젖 짜는 여자가 아니라 순수하고 아름다운 여성 그 자체였다. 햇빛이 강해지고 날이 완전히 밝아오면 테스도 다른 여자들처럼 젖 짜는 여자로 돌아가지 않을 수 없었다.

아침 식사가 끝나자 우유 창고에서 한바탕 소란이 일어났다.

교유기는 돌아가고 있지만 버터가 나오지 않았던 것이다. 일이 이쯤 되면 낙농장의 기능은 마비 상태에 이르고 만다.

낙농장 주인 크릭 부부를 비롯하여 테스, 마리안, 레티 프리들, 이즈 휴에트, 클레어, 조너선 케일, 데버러 할머니, 그리고 농가의 몇몇 부인네들이 난처한 표정으로 그 앞에서 교유기를 올려다보며 서 있었다.

"이 집 안에 누군가 연애하고 있는 사람이 있는 거 아냐?"

크릭 부인이 그렇게 말했다.

"그런 경우에 이런 일이 일어난다는 걸 처녀 때 들은 적이 있거든요. 그리고 여보, 몇 해 전 우리 집에 있었던 머슴 말이에요. 그 때도 버터가 나오지 않아서 원……."

그러자 주인이 그 때의 일을 말해 주었다.

잭이란 이름을 가진 사내가 멜스톡의 나이 어린 여자를 유혹했는데, 그만 들통이 나서 그 여자의 어머니한테 쫓기다 못해 뛰어든 곳이 이

교유기 안이었다는 것이다.

이 이야기를 들은 사람들이 마구 웃고 있을 때 문이 움직이는 소리가 나서 모두들 뒤돌아보았다. 테스가 얼굴이 백지장처럼 창백해져서 문가로 가고 있었다.

"무슨 날씨가 이렇게 더울까?"

그녀는 거의 들리지 않는 소리로 말했다.

확실히 날씨는 매우 더웠기 때문에 주인의 머슴 이야기와 테스가 자리를 뜬 것을 관련지어 생각하는 사람은 하나도 없었다.

주인은 테스 가까이로 가 문을 열어 주며 부드럽게 말하였다.

"왜 그러지, 테스? 우리 낙농장에서 제일 예쁜 아가씨가 이제 겨우 여름으로 접어든 마당에 그렇게 녹초가 되다니."

"좀 멀미가 난 것뿐이에요. 바람을 쐬면 괜찮아질 거예요."

테스는 밖으로 나가며 말했다. 그 때 마침 교유기가 정상적인 소리를 내기 시작했기 때문에 테스는 안도의 한숨을 쉬었다.

"이제 나오는데요!"

크릭 부인의 외침에 따라 모두의 시선은 문가의 테스에게서 교유기로 옮겨졌다.

저녁 젖짜기를 마치자 테스는 다른 사람들과 함께 있고 싶지 않아서 밖으로 나와 목표도 없이 이리저리 거닐었다.

주인의 이야기가 그저 농담이라는 것을 알고 있었지만, 테스의 마음은 한없이 슬프고 비참했다. 그 이야기가 테스의 아픈 곳을 건드렸다는 것을 아는 사람은 전혀 없었다.

지금처럼 해가 긴 유월에는 젖 짜는 아가씨들을 비롯한 모든 사람들이 해가 질 무렵이나 그보다 빨리 잠자리에 드는 것이 보통이었다. 아침 일찍 젖 짜는 일이 시작되어 매우 피곤했기 때문이다.

테스는 보통 때에는 한방 친구들과 함께 어울려 이층 방으로 올라갔으나, 그 날은 제일 먼저 방으로 올라가 다른 친구들이 돌아왔을 무렵에는 벌써 잠이 들어 있었다.

중간에 테스는 친구들의 도란거리는 말소리에 잠깐 눈을 떴다. 세 친구들이 창가에 나란히 얼굴을 맞대고 서서 뜰에 있는 누군가를 내려다보고 있었다.

"너무 밀지 마, 너도 나만큼은 볼 수 있잖아?"

적갈색 머리의 제일 나이가 적은 레티가 창문에서 눈길을 떼지 않고 말했다.

"네가 아무리 저 사람을 좋아해도 헛수고야, 레티 프리들!"

명랑하고 제일 나이가 많은 마리안이 면박을 주었다.

"저 사람이 지금 생각하고 있는 사람은 네가 아닌 딴 사람이란 거 너도 알잖니?"

레티 프리들이 아직 창밖을 보고 있었기 때문에 두 사람도 다시 창쪽을 향했다.

"저 봐! 저쪽에 다시 나타났어!"

새까만 머리에 창백한 안색, 야무진 입매를 지닌 이즈 휴에트의 외침이었다.

"너는 아무 말도 하지 않지만 나는 다 알고 있어, 이즈."

레티가 말했다.

"난 이즈가 그의 그림자에 입을 맞추는 걸 보았거든."

"얘가 뭘 어떻게 하는 걸 봤다구?"

마리안이 물었다.

"있지……. 그 사람이 젖물을 버리려고 물통 곁에 서 있을 때 그림자가 뒤편 바람벽에 와 닿았거든. 마침 이즈가 큰 통에다 젖물을 채우던 중이었는데, 그걸 보고는 벽으로 다가서서 그의 그림자 입술에 키스를 하지 않겠니? 그 사람은 알아채지 못하고 있었지만 나는 똑똑히 볼 수 있었지."

"이즈가 정말 그랬단 말이지?"

마리안이 물었다.

이즈 휴에트의 뺨은 금세 장밋빛으로 물들었다.

한편, 잠자코 이들의 말을 전부 귀담아듣던 테스는 뭔가 뜨거운 것이 가슴속에서 뭉클 솟고 있음을 느꼈다.

"하지만 우리 세 사람 모두가 저 사람과 결혼할 수는 없는 노릇이지."

이즈가 말했다.

"우리 가운데 어느 누구도 그와 결혼할 사람은 없을 거야. 그러니 더욱 속상한 노릇이지 뭐야!"

나이가 제일 위인 마리안의 대답이었다.

"저 봐, 저쪽에 또 나왔어!"

저녁이 제법 깊어지자 세 처녀들은 각기 잠자리에 들었다. 얼마 후 그녀들은 클레어가 사다리를 타고 자기 방으로 올라가는 소리를 들을 수 있었다.

마리안은 이내 코를 골며 잠에 떨어졌지만 이즈는 그 후에도 오랫동안 잠을 이루지 못하고 있었다. 하지만 이즈보다도 더욱 가슴을 태우며 잠 못 이루고 있는 것은 테스였다.

그 날 테스는 쓰디쓴 약 한 알을 삼키지 않으면 안 되었다. 친구들의 대화가 바로 그녀에게는 삼키기 어려운 약이었다.

그러나 그녀는 질투하지 않았다. 그녀의 친구들과 비교할 때 그래도 그녀가 제일 유리한 입장인 것을 그녀는 알고 있었던 것이다. 세 사람보다 더 예뻤으며 누구보다 교육을 더 받았고 나이는 레티 다음으로 젊었지만, 누구보다도 성숙한 여자였기 때문에 그녀가 조금만 더 노력한 다면 친구들과 대항하여 그의 마음을 사로잡을 자신이 있었다.

그러나 문제는 반드시 그래야 할 이유를 찾을 수 없다는 것이었다. 테스는 자기가 그에게 애정을 느끼게 할 수도 있고, 친절하게 대해 주는 즐거움을 맛볼 가능성은 지금도 있고 과거에도 있었던 것이다.

세상에는 신분이 다른 남녀의 사랑이 맺어지는 경우도 많이 있다. 그리고 클레어가 어느 날 웃으면서 크릭 부인에게 이렇게 얘기한 적도 있었다.

"수십 평방킬로미터나 되는 식민지의 목장을 경영하며 가축도 치고 곡식도 베어야 할 분주한 제게 훌륭한 귀부인과 결혼하는 것이 무슨 소용이 있겠어요?"

그리고 보면 사실 그에게는 농가 출신의 소박한 아내가 더 필요할지도 모를 일이었다.

세 처녀

다음 날 아침, 처녀들이 하품을 하며 아래층으로 내려와 크림걷기와 젖짜기를 마치고는 아침 식사를 하러 다시 집으로 돌아왔을 때였다.

주인 크릭 씨는 발소리를 거칠게 내며 집 안을 왔다갔다하고 있었다. 그는 거래처로부터 그가 생산해 낸 버터에서 떫은맛이 난다는 불평의 편지를 받았던 것이었다.

"정말이군. 아니, 누굴 망칠 셈이야? 떫은맛이 난단 말이야! 자, 맛들 좀 보라고."

그가 쥐고 있던 버터를 나무 주걱에 묻혀 내밀었기 때문에, 먼저 클레어가, 다음은 테스, 그리고 그 외의 젖 짜는 사람들이 차례대로 맛을 보았다. 정말 버터에서는 떫은맛이 났다. 낙농장 주인은 더욱 주의 깊게 맛을 보고 그 원인을 알아내고자 한참을 곰곰이 생각하더니 갑자기 외쳤다.

"아하, 이건 마늘 냄새야! 이 목장에선 그런 식물이 나지 않는 줄 알았는데……."

그리하여 사람들은 모두 끝이 뾰족한 낡은 칼들을 한 자루씩 손에 들고는 일제히 밖으로 나갔다. 그 곳에 있은 지 오래된 고용인들이 최근 소 몇 마리를 들여보낸 다른 목장이 있다고 했기 때문에 그들은 그 곳으로 갔다.

그들은 땅에다 얼굴을 들이대고는 천천히 풀밭을 뒤져 나갔다. 정말 지루하기 짝이 없는 작업이었다. 온 풀밭을 뒤지고서도 겨우 다섯 뿌리밖에 안 되는 마늘 싹을 찾아냈을 뿐이었다.

그런데 마늘의 매운 맛은 한 마리의 소가 한 입을 먹어도 그 날 하루 동안 낙농장에서 나오는 물건 전체의 맛을 충분히 바꿀 정도의 양이 되었다.

에인젤 클레어는 무슨 일이 있어도 다른 사람들과 함께 행동하려고 애쓰고 있었는데, 그러는 가운데서도 그는 가끔 머리를 들어 주위를 둘러보았다. 그의 뒤에 테스가 선 것은 물론 우연한 일이 아니었다.

"그런데 기분은 좀 어때요?"

클레어가 속삭이듯 물어왔다.

"아주 좋아요. 고맙습니다."

테스는 정색을 하고 대답했다.

바로 삼십 분 전쯤 그들은 이미 서로의 개인적인 이야기를 털어놓은 바 있는데, 새삼 그런 인사를 한다는 게 어쩐지 쑥스러웠다.

테스의 치맛자락은 가끔 클레어의 장화에 닿기도 하고, 그의 팔꿈치가 그녀의 팔꿈치를 스치기도 했다.

문득 주인 크릭 씨가 옆에 있다가 입을 열었다.

"이봐요, 테스. 엊그제 몸이 좀 안 좋다고 했지? 이걸 하다 보면 아마 머리가 굉장히 아플 거야. 몸이 좋지 않으면 그만두고 쉬어요."

크릭 씨가 뒤로 물러섰기 때문에 테스도 대열에서 빠져 나와 뒤로 섰다. 그러자 클레어도 대열로부터 슬며시 빠져 나와 제멋대로 잡초를 찾아다니기 시작했다.

테스는 클레어가 자기한테 오자, 간밤에 들었던 세 처녀의 이야기가 너무 마음을 괴롭혀서 먼저 말을 꺼내었다.

"저 사람들 모두 참 예쁘죠?"

"누구 말인가요?"

"이즈 휴에트랑 레티 말예요."

테스는 나름대로 그 두 사람이야말로 농장주의 훌륭한 아내로서 한 몫을 할 수 있으리라고 생각했기 때문에 그들 얘기를 꺼냈다.

그렇게 해서 그를 좋아하는 괴로운 마음을 감추고 싶었다.

"예쁘다고? 네, 그런 것 같군요. 모두 건강해 보여요. 하지만 테스 당신을 따르려면 어림도 없어요……."

"그렇지만 크림 걷는 일은 나보다 훨씬 잘해요."

테스는 그 날부터 아무리 괴롭더라도 그와 될 수 있으면 마주치지 않으려고 무척 애를 썼다.

그녀는 다른 세 친구들에게 그를 양보하고 싶었던 것이다.

테스는 세 처녀의 고백을 듣기도 했지만, 에인젤 클레어가 그 젖 짜는 처녀들 중의 누구라도 자기 아내로 삼을 충분한 마음의 자세를 가지고 있다는 것도 알았다.

클레어는 이 세 처녀들의 행복에 조금이라도 상처를 주지 않으려고 스스로 조심하고 있다는 사실도 알았다.

테스는 그런 클레어의 마음을 존경했다.

그녀가 클레어를 존경하게 되리라고는 생각지도 못한 일이었다.

클레어의 신붓감

어느덧 칠월의 무더위가 찾아왔다. 어느 일요일 아침, 젖 짜는 일이 끝나자 테스와 다른 세 처녀들은 서둘러 옷을 갈아입었다.

그녀들은 함께 멜스톡에 있는 교회에 가기로 약속이 되어 있었다. 테스에게는 톨버세이스에 온 지 두 달 만의 첫 외출이 되는 셈이었다.

전날 밤에는 비가 왔지만, 그날 아침은 매우 맑았으며 공기 또한 싱그러웠다.

그녀들이 걸어가는 길에는 장화를 신어야 할 정도로 많은 물이 괴어 있었다. 하지만 긴 양말에 낮은 구두를 신고 있어서 흙탕물이 튀었다. 더군다나 그녀들은 훤히 비쳐 보이는 연분홍, 하양, 보랏빛의 엷은 드레스 차림이었기 때문에 물웅덩이를 건너는 일이야말로 참으로 난처한 일이었다.

그녀들이 어쩌지도 못하고 둑에 죽 늘어서 있는데 길 저쪽에서 철벅거리는 소리가 들렸다. 이윽고 물을 건너 다가오는 에인젤 클레어의 모습이 길을 돌아 나타났다.

네 처녀들의 심장은 동시에 크게 울렁거렸다. 클레어는 젖 짤 때에 입는 옷차림에 긴 장화를 신고 손에는 풀 베는 낫을 들고 있었다.

에인젤은 화창한 여름날이면 교회나 예배당에 설교를 들으러 가는 것보다 자연의 설교를 들으러 가는 것을 좋아했다.

그는 처녀들이 물 때문에 난처해하는 것을 보고는 발걸음을 빨리 하여 어떤 방법으로 저 아가씨들을, 특히 그 중에서도 눈에 띄는 한 여자를 도와줄까 생각했다.

테스는 자기들의 모습이 우스워 막 터지려는 웃음을 참고 있는 중이었기 때문에 클레어와 시선이 마주치자 웃지 않을 수 없었다.

클레어는 물을 건너 처녀들 곁에 멈추어 섰다.

"지금 교회로 가려는가 보군요?"

그는 제일 앞에 선 마리안에게 물었다. 테스는 그를 외면한 채 조용히 서 있었다.

"네, 그래요. 하지만 아무래도 늦겠어요."

"제가 건네다 드리죠. 모두 말이에요."

그러자 네 사람의 얼굴은 마치 그녀들 전부가 한 사람인 양 일제히 붉어졌다.

"전 못할 것 같아요."

마리안이 말했다.

"하지만 여길 건너자면 그 방법밖에 없어요. 가만히 있어요. 뭐 아가씨들이니까 무겁진 않겠지요. 네 사람 몽땅 한번에 옮겨 놓을 수도 있어요. 자 마리안, 됐어요. 정신차리고 그 두 팔을 내 어깨에 걸쳐요. 네, 그렇게요. 예, 됐어요."

마리안이 클레어의 등에 업히자 그는 성큼성큼 물을 건너갔다.

다음 차례는 이즈 휴에트였다. 이즈가 꿈꾸는 듯 에인젤의 두 팔에 몸을 내맡기자 그는 그녀를 안고 조심조심 걸어갔다.

세 번째로 되돌아오는 그의 발자국 소리에 레티의 가슴은 남들이 알아볼 정도로 뛰었다.

에인젤 클레어는 빨간 머리의 레티를 업으면서 얼핏 테스를 보았다.

아무튼 남자는 레티를 저편에 내려놓고 다시 되돌아왔다. 이제 테스

의 차례였다.

그녀는 아까 친구들이 흥분하는 걸 마음속으로 비웃었는데 자기도 떨렸다. 그래서 그녀는 딴소리를 했다.

"전 둑으로 올라가서 갈 거예요. 잘 올라갈 수 있어요."

"아니, 괜찮아요, 테스."

결국 그녀는 자기도 모르는 사이에 그의 팔에 안겨 어깨에 몸을 기대고 있었다. 클레어는 테스가 흥분하고 있음을 알 수 있었다.

"제가 너무 무겁지요?"

테스가 수줍은 듯 말했다.

"아니에요. 마리안을 좀 봐요. 정말 굉장한 몸집이지. 당신은 햇볕에 따뜻해진 물결이 출렁이는 것 같아요. 그리고 입고 있는 옷은 흰 물거품 같고요."

"그럼 아주 예쁘게요? 제가 당신 눈에 그렇게 보였다면……."

"당신은 내가 세 번씩이나 수고를 한 이유가 당신에게 있다는 것을 알지요?"

"몰라요."

"테스!"

그는 격한 목소리로 외쳤다. 테스의 얼굴은 남자의 입김에 화끈 달아올랐다. 그녀는 터질 듯 가슴이 벅차서 그의 눈을 똑바로 바라볼 수가 없었다.

클레어는 좀더 오랜 시간을 그녀와 함께 있고 싶은 마음에서 천천히 걸었다. 하지만 마침내 그들은 세 처녀가 기다리는 건너편까지 왔다.

그녀들은 한길로 나란히 걸어갔다. 이윽고 마리안이 말문을 열었다.

"안 되겠어. 우리는 테스를 못 당해!"

그녀는 우울한 얼굴로 테스를 바라보며 말했다.

"그게 무슨 소리예요?"

테스가 물었다.

"그이는 널 제일 좋아하는 거야. 누구보다도 널! 그 사람이 안고 오는 걸 보고 알 수 있었어. 아마 네가 조금이라도 마음을 보여 주었다면 그는 너에게 분명히 키스했을 거야."

"그런 일은 있을 수 없어."

테스가 말했다.

집에서 떠나 올 때의 즐거움은 어느 새 사라지고 없었다. 그러나 그녀들이 어떤 나쁜 생각을 품고 있는 것은 아니었다.

테스의 마음은 매우 아팠다. 친구들이 모두 에인젤 클레어를 좋아하는 것을 알게 되었기 때문에, 자신도 클레어를 좋아하는 마음을 숨길 수 없었다. 그와 같은 사랑은 전염되기 쉬운 법이었다.

그러면서도 테스는 친구들을 동정하지 않을 수 없었다. 그래서 갑자기 마음이 약해진 그녀는 이렇게 말했다.

"난 절대로 너희들을 방해하지 않겠어, 레티! 그 사람이 그런 생각을 하진 않겠지만 만약에 나한테 청혼해도 난 거절할 거야. 난 어떤 남자의 청혼도 거절할 거야."

그날 밤 테스가 눈물을 흘리면서 레티에게 쏟아 놓은 말이었다.

"아니, 그건 또 왜?"

레티가 의아스러운 듯이 물었다.

"난 결혼 같은 건 할 수가 없어. 하지만 분명한 건, 그 사람이 너희들 중 그 누구하고도 결혼할 마음을 갖고 있지 않다는 거야."

"난 그런 걸 바란 적 없어. 하지만 아, 정말 난 죽어버리고 싶어!"

레티는 울먹였다. 침실의 공기는 걷잡을 길 없는 정열로 설레는 듯했다. 그녀들은 그 날의 일로 열병을 앓는 사람처럼 몸부림치며 괴로워했다.

"안 자지? 테스!"

삼십 분쯤 지나서 이즈가 물었다. 레티와 마리안도 침대에서 일어나 한숨을 쉬었다.

"그 사람한테 나타난 색시가 누굴까?"

다시 이즈가 말했다.

"그 사람한테 색시가 나타났다구? 난 그런 말 처음 듣는데?"

테스는 깜짝 놀랐다.

"그런 소문이 있어요. 그 사람의 집안에서 찾아낸 지체 높은 집 따님 이래. 에민스터의 그 사람 아버지가 있는 교회 근처에 사는, 산을 연구하는 박사의 딸이라는데, 그 사람은 별로 내키지 않는다나 봐. 그렇지만 그 여자와 결혼하게 되겠지."

마리안이 설명해 주었다. 그녀들은 그 얘기를 하고 또 하면서 함께 울었다.

테스는 이 이야기를 듣게 된 순간부터 클레어가 자기를 신붓감으로 생각하고 있다는 어리석은 기대는 이젠 두 번 다시 하지 말자고 마음속으로 다짐하였다.

포 옹

비옥한 땅이 물기를 빨아올리는 생생한 계절에는 사랑마저도 저절로 불붙지 않을 수 없었다. 이 고장 젊은이들은 그로 인해 잔뜩 부풀어올라 있었다.

클레어는 더위에 허덕이면서도 테스에 대한 열정 때문에 고민하고 있었다.

테스는 클레어가 자기 뒤에 와 있는 것도, 그리고 그가 줄곧 자기를 바라보고 있다는 것도 전혀 알지 못하고 있었다.

테스의 그 얼굴은 클레어에게 몹시 아름다워 보였다. 그것은 하늘의 아름다움이 아니라 바로 눈앞에 있는, 그리고 생생하게 살아 있는 구체적인 아름다움이었다. 특히 그녀의 입이 사랑스러워 보였다.

표정이 풍부한 눈이나 하얀 뺨, 활 모양의 눈썹과 매끄러운 턱, 목덜미를 그는 수도 없이 보아왔으나 그녀의 입술만큼은 이 땅의 어떤 것도 따를 수 없을 만큼 아름다웠다.

클레어는 그녀의 입술이 아름다운 것을 알고 있었지만, 실제 그 모습을 눈앞에 대하니 현기증마저 느낄 정도였다.

테스는 그제서야 클레어가 자기를 바라보고 있음을 알아챘으나 자세를 바꾸지는 않았다. 하지만 그녀의 얼굴은 이내 붉어졌다.

그는 자리에서 일어나 그녀에게 다가가 두 팔로 소중하게 그녀를 안았다. 테스는 포옹을 피하거나 하지 않고 그에게 몸을 맡겼다. 그리고 그 남자가 자기의 애인인 것을 알자, 그녀의 입술에선 환희와 같은 작은 외침이 터졌다.

클레어는 자칫 이 너무나도 유혹적인 입술에 자기 입을 맞출 뻔했으나 그의 자제력이 그것을 막았다.

"용서해, 테스! 이래도 좋은 건지 허락을 받아야 했는데. 하지만 일시적인 마음에서 이러는 것은 아니야. 진심으로 당신을 사랑해요. 나의 사랑 테스!"

그는 속삭였다. 이윽고 테스는 그의 품안에서 몸을 빼내려고 했다. 하지만 그녀는 더 안겨 있고 싶었다. 잠시 후 그들은 함께 일어섰는데, 그의 팔은 아직도 테스의 몸에 감겨 있었다.

먼 곳을 향하고 있던 테스의 눈에서 눈물이 흐르기 시작했다.

"왜 우는 거요, 테스?"

그가 물었다.

"글쎄, 저도 잘 모르겠어요."

테스는 중얼거렸다.

"테스, 난 드디어 내 마음을 보여 주고 만 거요. 내가 당신을 얼마나 사랑하고 있는지를. 하지만 이제 이 문제는 더 깊이 생각하고 말 것도 없소. 당신을 괴롭히게 될 뿐이니까. 아무튼 나 역시도 당신만큼 놀라고 있소. 설마 내가 순간적인 충동으로 이런다고 생각하는 건 아니겠지?"

"네……. 하지만 난 아무것도 모르겠어요."

클레어는 그녀가 그 곳에서 떠나는 것을 그대로 내버려두었다. 잠시 후, 그들은 제각기 젖 짜는 일에 열중하고 있었다.

그들은 서로가 서로를 끌어당기는 힘에 의해서 포옹을 했던 것이다. 그러나 그 장면을 본 사람은 아무도 없었다.

결　과

클레어는 마음을 진정시킬 수 없어 어두워진 뜰로 나왔으나, 그의 마음속을 가득 채우고 있는 테스는 자기 방에 틀어박힌 채 나오지 않았다. 그는 자기가 저지른 일에 대해 깊이 생각해 보았다. 이 날만큼은 감정이 사리분별을 흐리게 하고 있었다.

두 사람은 세 시간 전의 포옹 이후 계속 떨어져 지냈다. 그녀는 이 갑작스런 사건으로 말문이 막힌 것 같았다. 클레어는 그 자신이 저지른 일이 솔직한 감정의 표현이기는 했으나 이성적인 행동은 아니었기 때문에 마음을 가라앉힐 수가 없었다.

클레어는 낙농장에 기술을 배우려고 왔다. 여기서의 일시적인 생활은 곧 지나가게 되고 또 금방 잊혀질 것이다. 그런데 낙농장에서의 전원 생활이 그에게 중대한 계기가 되었다는 것은 생각만 해도 놀라운 일이었다. 그렇게 된 이유 중의 하나가 사랑이기도 하지만 그렇다고 그것이 전부는 아니었다. 클레어는 결점도 있지만 양심적인 남자였다.

테스는 스스로 생활하고 있는 완전한 하나의 여성이었다. 노리개로 여길 수 있는 보잘것없는 여자는 아니었다. 그래서 그는 그녀를 가지고 놀다 버리는 장난감으로 생각할 수가 없었다.

클레어는 아직 확실한 결정은 내리지 않았지만, 우선 테스와 좀 떨어져 있기로 결심했다. 그러나 그러면 그럴수록 마음은 그녀에게 끌렸다.

낙농장에서 약속된 기한은 앞으로 다섯 달 정도 남았으나 농업에 대한 지식은 다른 농장에서 익히면 충분할 것 같다.

그는 농부에게 어떤 아내가 필요한지, 그 아내는 응접실의 인형과 같은 존재여야 하는지 어쩐지 생각하다 만족할 만한 답을 찾아내었다. 그는 떠나기로 결심했다.

어느 날 아침 식사를 하려고 모두가 식탁에 빙 둘러앉았는데 그 중 한 처녀가 클레어 씨의 모습이 보이지 않는다고 말했다.

"응, 그렇군."

크릭 씨가 대답했다.

"클레어 씨는 한 이삼 일 가족들과 지내겠다고 자기 집으로 갔어."

크릭의 그 한마디에 네 처녀들의 마음은 모두 어두워졌다.

"그 사람 있을 기한도 얼마 남지 않았어. 다른 데로 갈 모양이더군."

크릭은 자기의 말이 얼마나 처녀들의 가슴을 혹독하게 찌르는지도 모른 채 말했다.

"그 사람은 앞으로 얼마나 더 있을 예정인가요?"

이즈 휴에트가 슬픔을 억누르고 물었다.

다른 처녀들은 주인의 다음 대답에 자기들의 목숨이 걸려 있기라도 한 것처럼 조마조마했다.

"글쎄, 그걸 확실히 알자면 아무래도 수첩을 봐야겠는걸. 아무튼 저 외양간에서 소가 새끼 낳는 걸 도와주려면 아마 좀더 머물러야겠지. 올해 말까지는 말이야."

크릭 씨는 무관심한 태도로 말했다.

처녀들은 벌써, 앞으로 그와 함께 지낼 수 있는 넉 달 동안 맛보게 될 안타까운 황홀감과 그가 떠난 뒤의 이루 말할 수 없는 밤의 쓸쓸함을 생각했다.

그날 아침, 처녀들이 괴로운 마음으로 식탁에 둘러앉아 있는 바로 그 시간, 에인젤 클레어는 아버지의 목사관이 있는 에민스터를 향해 말을 달리고 있었다. 작은 바구니에는 크릭 부인의 정성이 담긴, 그의 양친께 선물로 드릴 검은색 프라이와 꽃술이 한 병 담겨 있었다.

'나는 테스를 진심으로 사랑하고 있다. 그렇다면 그녀와 결혼해야 하지 않을까? 그러나 어머니와 형들의 의사를 무시하고 결혼하고 나서 후회하게 된다면……'

집으로 향하는 에인젤 클레어의 마음은 착잡하기만 했다.

드디어 붉은 벽돌을 쌓아올린 교회 탑과 목사관을 둘러싼 무성한 나무들이 그의 눈앞에 나타났다. 그는 낯익은 문을 향해 달려갔다.

언뜻 교회 쪽을 바라보았는데 한 무리의 소녀들이 누군가를 기다리는 듯했다. 기다리던 사람은 곧 나타났다. 소녀들보다 훨씬 연상인 그 처녀는 차양이 넓은 모자를 썼으며 풀을 잘 먹인 모닝 가운을 걸치고 있었다. 손에는 두어 권의 책이 들려 있었다.

그녀는 클레어도 잘 아는 머시 챈트 양이다. 아버지 친구인 그의 부모님은 자기의 외동딸이 에인젤과 결혼하게 되길 은근히 바라고 있었다.

그가 에민스터에 온 것은 갑작스런 계획 때문이었다. 그래서 가족들에게 알리지 않았었다. 그가 느닷없이 집 안으로 들어섰을 때 식탁에 둘러앉아 있던 가족들은 놀라서 벌떡 일어나 그를 맞이했다.

거기에는 아버지와 어머니와 맏형인 펠릭스——그는 이웃 마을 어느 교회의 부목사였는데 휴가를 와 있었다. 그리고 둘째 형인 커스버트 신부도 함께 있었다. 커스버트는 케임브리지 대학의 학감과 평의원을 겸한 고전어 학자였는데, 장기 휴가를 이용해 집에 돌아와 있는 중이었다. 그 형님이 아버지를 꼭 빼닮았다. 예순 다섯 정도의 나이에, 어딘지 쇠약해 보이는 창백한 얼굴의 아버지는 깊은 생각을 가진 사람의 모습이었다.

클레어는 자리에 앉으며 여기가 진짜 자기 집이라는 느낌이 들었다. 하지만 예전처럼 한 가족이라는 느낌은 없었다. 집을 나갔다가 다시 돌아올 때면 늘 그런 생각을 했는데, 제일 마지막으로 목사관에서 함께 생활한 이후부터는 가족들과의 거리감이 분명하게 느껴졌다.

가족들도 에인젤이 많이 변했다는 것, 옛날의 에인젤 클레어와는 아주 딴판이 되어 있다는 것을 느끼고 있었다. 형들은 그의 말투조차 달라져 있음에 놀랐다. 에인젤은 두 다리를 아무렇게나 뻗었으며 성직자 집안의 신사다운 태도라고는 아무것도 없었다. 톨버세이스의 시골 남녀들과 함께 지내는 동안 그는 변했던 것이다. 아침식사가 끝나자 그는 두 형과 함께 산책을 했다.

두 형은 충분한 교육을 받기도 하였지만 머리에서 발끝까지 하나 흠잡을 데 없는 모범적인 인물이었다. 두 사람은 다 근시여서 줄이 달린 외알박이 안경이 유행일 때는 그것을 썼고, 두 알짜리 안경이 유행일 때는 또 그것을 썼다.

두 형들은 동생이 점점 사교성을 잃어 간다는 것을 안타까워했고, 에인젤은 두 형들의 정신 세계가 점점 좁아져 간다는 것을 안타깝게 생각했다. 펠릭스 형은 교회면 모든 것이 다 해결된다는 교회 만능주의요, 커스버트 형은 대학 만능주의로 서서히 바뀌어가고 있었다.

또 두 형들은 효심도 지극해, 이렇게 규칙적으로 부모님을 뵙고자 집으로 오는 것이었다. 그는 형들이 성공적인 삶을 살고는 있지만, 인생을 제대로 이해하지 못한다고 생각했다.

세 형제는 언덕 중턱을 걷고 있었다.

"에인젤, 넌 이제 농사짓는 일 외엔 다른 방법이 없겠구나."

펠릭스는 다른 여러 가지 이야기 끝에 동생에게 말했다.

"내가 특히 당부하고 싶은 건 말이야, 네가 도덕적으로 사는 거야."

"물론 그래야 하구말구요."

에인젤이 대답했다.

"형님은 제가 도덕적 이상을 저버릴 것처럼 생각하시나 보군요."

"사실 네 편지로 봐서는 어쩐지 네가 이성을 잃는 게 아닐까 하는 걱정이 앞선다."

"펠릭스 형님!"

에인젤은 다부지게 말하였다.

"우리들은 모두 사이좋게 지내고 있지만 각자 서로 정해진 길을 가고 있지 않습니까? 그러니까 형님도 너무 제 걱정만 하실 게 아니라 형님 자신부터 살펴보시는 게 좋을 것 같군요."

허 락

가족 예배가 끝나고 에인젤은 자신의 결심을 아버지에게 의논할 시간을 가졌다. 형들과 어머니는 밖으로 나갔기 때문에 에인젤은 아버지와 단둘이 남게 되었다.

그는 먼저, 영국에서나 식민지에서 대규모로 농장을 경영하고 싶다는 말부터 했다.

그러자 아버지는 에인젤이 대학에 가지 않았기 때문에 그 비용만큼 저금해둔 것이 있으니 그 돈으로 토지를 사거나 빌릴 수 있다고 말했다.

"삼사 년 후면 넌 형들보다 훨씬 나아질 수 있을 거야."

에인젤은 배려 깊은 아버지의 이야기를 듣고 용기를 얻었다.

그래서 그는 자기가 벌써 스물여섯 살이나 되었다는 점과 농사를 짓기 위해선 뒤에서 뒷바라지해 줄 사람이 꼭 필요하니까 결혼하는 게 좋지 않겠냐고 이야기했다.

"소박한 농사꾼의 아내로서 어떤 여자가 적합하다고 생각하세요?"

"그야 기독교인다운 참한 여자로서 일생 동안 너의 생활에 도움이 되고 위안이 되어 줄 사람이지. 내 소중한 친구로서 저기 이웃에 살고 있는 젠트 박사는……."

"하지만 전 다른 무엇보다도 우유를 짠다거나 교유기를 이용해 훌륭한 버터를 만든다든가, 치즈를 만들 줄 아는 여자가 적합하리라고 생각하는데요."

"물론 그렇겠지. 하지만 순결하고 마음씨 고운 여자로서는 널 따르던 처녀 머시만한 사람이 또 어디 있겠니?"

"머시가 착하고 믿음이 깊은 여자란 건 저도 잘 압니다. 하지만 아버지, 농장에 대한 일을 농부 이상으로 잘 하는 여자가 있다면 그녀 쪽이 좋지 않을까요?"

에인젤은 자신이 결심한 것을 실천에 옮기기 위해, 신앙심도 깊고 이해도 빠른 아주 얌전한 여자가 자기 주위에 있다는 점을 강조하였다.

"결혼해도 좋을 만한 가문의 처녀니? 품위 있는 처녀라고 자신 있게 소개할 수 있니?"

두 사람이 얘기하는 동안 어느새 들어와 있던 어머니가 깜짝 놀라며 물었다.

"그녀는 농가의 딸이에요. 하지만 기품이나 성실함으로 미루어 보건대 그녀는 분명한 숙녀입니다."

"머시 챈트는 아주 훌륭한 가문의 딸이란 점을 잊지 말아라!"

"그게 무슨 소용입니까, 어머니! 전 현재에나 미래에도 거친 일로 살아가야만 하는데 그런 여자가 저한테 어울리겠어요?"

"머시는 교양 있는 여자야. 교양은 중요한 거야."

어머니는 아들의 얼굴을 바라보며 말했다.

"외면적인 교양이 앞으로의 제 생활에 무슨 소용이 되겠습니까? 독서 같은 걸 말씀하신다면 제가 그녀를 이끌어 줄 수도 있어요. 만나 보시면 아시겠지만, 그녀의 가슴속엔 시가 가득 차 있어요. 어디 하나 흠잡을 데 없는 착실한 기독교인이구요."

"네가 나를 놀리는구나!"

"용서하세요, 어머니. 하여간 그녀는 독실한 기독교인이고, 어머니도 그녀를 선택한 제가 옳았다고 이해하시게 될 거예요."

늙은 클레어 부부는 얼굴도 본 적 없는 그 여자가 독실한 기독교인으로 불릴 수 있는지 어쩐지 의심스럽지 않을 수 없었다.

결국 부부는 젊은 두 사람의 결합은 하느님의 섭리에 의한 것이라는 결론을 내리기에 이르렀다. 그래서 그들은 일단 테스를 한번 만나 보기로 했다.

드디어 에인젤이 집을 떠나는 날이 되었다. 두 형은 그보다 먼저 떠났다. 에인젤은 펠릭스나 커스버트 형에게는 테스에 대한 일을 말하지 않았다.

어머니는 에인젤을 위해 샌드위치를 만들어 주었고, 아버지는 그를 바래다주었다. 아버지와 아들은 말을 타고 나란히 달리면서 60여 킬로미터 정도 떨어진 트랜트리지 근방에 살고 있는 더버빌이란 젊은 지주에 대한 이야기를 했다.

"원래 더버빌 가문은 칠팔십 년 전에 몰락했거든. 난 그렇게 알고 있었는데 갑자기 나타난 그 집안은 가짜일 게 분명해. 그 가짜 집안의 아들은 장님이 된 어머니와 함께 살고 있는데 이루 말할 수 없는 바람둥이라는 거야. 그래서 그 청년을 찾아가 설교를 해 주었지."

그러자 그 청년은 클레어 목사에게 노골적으로 격분했다고 한다.

늙은 목사의 하얗게 센 백발에 대해 경의를 표하기는커녕, 사람들이 있는 데서 목사를 모욕하는 말을 퍼부었다고 했다.

그 말을 듣고 에인젤은 마음이 아파서 얼굴을 붉혔다. 지금까지도 그랬지만 그의 아버지는 어린애 같은 성격을 갖고 있었다.

그는 아들이 테스를 아내로 맞으려 한다는 문제를 놓고도, 그녀가 잘 사는지 어쩐지 그런 문제 따위는 언급하지 않았기 때문에 에인젤은 더욱 아버지를 존경하게 되었다.

청 혼

에인젤은 내리쬐는 한낮의 열기 속을 걸었다.

그리하여 오후에는 톨버세이스로부터 서쪽으로 이삼 킬로미터쯤 떨어진 언덕 위에 올라 골짜기를 다시 내려다볼 수 있게 되었다.

집 안으로 들어선 에인젤은 조용한 복도를 지나 뒷문으로 돌아갔다. 한낮이어서 모두들 한두 시간 정도 낮잠을 자고 있을 것이다.

클레어가 안장을 풀고 먹이를 준 다음 집 안으로 들어서자 시계가 세 시를 쳤다. 오후 세 시는 크림을 거두어야 할 시간이었다.

시계의 종소리와 함께 클레어는 이층의 마루가 삐걱대는 소리를 들었다. 이어 계단을 밟는 발소리가 들렸는데 테스가 내려오고 있었다.

테스는 클레어가 돌아오는 소리를 듣지 못했기 때문에 그가 와 있을 줄은 상상도 못했다. 그녀는 하품을 하면서 한쪽 팔을 땋아 올린 머리 위쪽으로 곧게 뻗었다.

이윽고 그녀의 눈동자가 반짝 빛을 냈는데, 눈을 제외하고는 아직 잠에서 깨어나지 않은 것처럼 보였다.

그녀는 기쁨과 놀라움과 부끄러움이 뒤섞인 표정으로 외쳤다.

"어머나! 클레어 씨! 정말 깜짝 놀라게 하시는군요. 전……."

그녀는 클레어가 사랑을 고백했지만 그것을 깊이 생각해 볼 겨를조차 없었다. 그러나 클레어의 얼굴을 다시 보자 그 때의 감정이 되살아나는 듯했다.

"사랑하는 나의 테스!"

클레어는 그녀를 포옹했다. 그는 새빨개진 테스의 뺨에 자기의 얼굴을 갖다대고는 이렇게 속삭였다.

"이젠 날 그렇게 부르지 말아요. 씨 자를 붙이진 마. 나 당신 때문에 서둘러 돌아오지 않을 수 없었소."

클레어가 그녀를 포옹하고 있는 동안 창문으로 들어온 햇살은 행복한 두 사람의 미래까지도 환히 비추는 듯했다.

테스는 그의 얼굴을 똑바로 보고 싶지 않았다.

그러나 그녀는 곧 눈을 떴으며 이브가 두 번째로 아담을 올려다보았을 그런 눈길로 클레어를 보았다.

"전 크림을 거두러 가야 해요. 오늘은 데버러 할머니밖에 없어요. 주인 마님은 크릭 씨와 함께 시장에 가셨고 레티는 몸이 좋지 않아요."

테스는 크림 걷는 일에 열중할 수 없었다. 크림을 거두는 주걱 쥔 손이 자꾸 떨렸다. 클레어가 그녀의 옆으로 다가갔다.

"테스, 언제 해도 할 얘기니까 지금 해 두는 게 좋겠소. 지난 주일 목장에서 있었던 일 이후로 줄곧 생각해 왔던 건데, 나는 당신하고 하루빨리 결혼하고 싶소."

테스는 입장이 곤란했다. 그가 가까이에 있으면 사랑에 빠질 수밖에 없다는 것은 인정해도, 그가 그렇게 빨리 청혼해 오리라고는 예상하지 못했기 때문이다.

테스는 온몸이 무너지는 듯한 아픔을 맛보면서 이제 말하지 않으면 안 될 마음속 얘기를 중얼거렸다.

"클레어 씨, 전 당신의 아내가 될 수 없어요. 저는 자격이 없는 여자란 말예요."

테스는 가슴이 찢어지는 듯한 아픔을 느끼면서 얼굴을 아래로 떨구어 버렸다.

"테스, 지금 싫다고 말한 거요? 당신은 분명 나를 사랑하고 있었던 게 아니요?"

"네, 그래요! 분명히 당신을 사랑해요. 이 세상에서 어느 누구보다도 당신의 신부가 되고 싶어요. 하지만 전 당신과 결혼할 수 없어요."

"당신에게 달리 약혼자가 있는 모양이군?"

"아니에요. 그런 게 아니란 말예요!"

"그렇다면 어째서 결혼하고 싶지 않다는 거요?"

"전 결혼하고 싶진 않아요. 그런 건 생각해 본 일도 없어요. 그저 당신을 사랑하고 있을 뿐이에요."

"그건 또 왜 그래요?"

마침내 테스는 말을 더듬거리지 않을 수 없었다.

"당신의 아버진 목사님이고 또 어머니도 저와 결혼하는 걸 원치 않으실 거예요. 어머니께선 좀더 훌륭한 가문의 따님과 결혼하는 걸 원하실 거예요."

"바보 같은 소릴 하는군! 테스, 난 모든 걸 부모님께 말씀드렸소."

"그래도 전 할 수가 없어요. 그럴 수 없어요."

"이리로 오자마자 바로 얘길 꺼낸 게 잘못이었소. 얼마간 이 문제에 대해 다시는 얘길 꺼내지 않도록 주의하겠소."

테스는 크림 주걱을 들고 다시 일을 시작했다. 그러나 일이 잘될 리가 없었다.

"저 크림을 못 거두겠어요······. 더는 못하겠어요."

테스는 얼굴을 돌린 채 말했다. 측은한 마음이 든 클레어는 더 이상 테스를 놀라게 하거나 방해해서는 안 되겠다 싶어 부드럽게 말하기 시작했다.

"당신은 우리 부모님을 오해하고 있나 보구려. 하지만 우리 부모님은 아주 소박하고 욕심도 없는 분들이오."

클레어는 집에 가서 있었던 일들과 아버지의 생활 태도 등에 대해 자세히 이야기해 주었다. 그제야 테스는 어느 정도 마음이 진정되었다.

"당신이 들어올 때 왠지 기운이 없어 보이는 것 같았어요."

테스는 화제를 돌리려고 다른 소리를 했다.

"그것은······. 아버님이 괴로움을 당했던 얘기를 들었던 탓이오. 아버지가 최근에 겪은 불유쾌한 사건을 말해 주었거든."

클레어는 아버지가 트랜트리지 부근에 설교를 가셨다가 젊은 바람둥이 남자에게 모욕을 당했다던 사건을 테스에게 들려주었다.

그 얘기를 듣던 테스의 얼굴에서는 점점 핏기가 가셨고 입술조차 떨리고 있었다. 그러나 테스는 조금도 내색을 하지 않았다.

그녀는 슬프고도 괴로운 심정을 바깥 공기로 풀어보려는 듯 다른 젖짜는 처녀들의 틈에 끼여 급히 목장 쪽으로 갔다.

처녀들의 모습은 들판의 야생 동물처럼 대담하고도 아름다웠다.

하늘의 뜻

테스가 거절할 것이라고는 상상하지 않았다. 하지만 그는 어느 정도 여자에 대해 알고 있었기 때문에 싫다는 것은 좋다는 것이라고 믿고 있었다.

"테스, 안 된다고 왜 그렇게 딱 잘라 말했지요?"

"그렇게 묻지 마세요. 이유는 다 말씀드렸잖아요? 전 자격이 없는 여자예요."

"어째서요? 훌륭한 가문이 아니어서?"

"아마……. 그런 걸 거예요. 당신 가족들은 절 무시할 거예요."

"당신은 정말 우리 가족을 오해하고 있군. 우리 어머니와 아버지를 말이오."

클레어는 그녀가 달아날 수 없도록 테스의 손을 등뒤로 돌려 잡았다.

"그 말 진심이 아니겠지? 난 당신 때문에 책도 눈에 안 들어오고 하프도 켤 수 없단 말이오. 서두르진 않겠소. 마음 내킬 때 내게 말해주지 않겠소?"

테스는 겨우 머리를 흔들고는 그로부터 얼굴을 돌려버렸다.

"테스, 당신 혹시 다른 누군가를 사랑하고 있는 게 아니오?"

"어떻게 그런 말을 하실 수 있어요?"

"물론 나는 당신을 믿고 있소. 그렇지만 그런 것이 아니라면 왜 날 거절하는 거요?"

"당신을 싫어하지 않아요. 절 사랑한다는 말을 들어서 너무 기뻐요. 그리고 앞으로도 계속 그 소리를 듣고 싶어요."

"그런데 왜 결혼하지 않겠다는 거요?"

"네……. 그 문젠 좀 다르니까요. 모든 게 당신을 위해서예요. 저의 소중한 클레어 씨, 절 믿어 주세요. 당신의 사람이 되겠노라는 약속을 하면 행복해질 것은 알겠으나 그렇게 할 수는 없어요. 제 자신이 그것을 받아들일 수 없기 때문이에요."

"난 당신이 허락해 주면 행복할 거요."

"당신은 절 이해하지 못하기 때문에 그렇게 말하는 거예요."

이런 대화가 수차례 거듭되자, 클레어는 그녀가 겸손한 사람이라서 거절하는 것이라고 여겼다. 그래서 그는 그녀의 재능을 이것저것 끄집어내 칭찬해 주었다.

이렇게 결혼 문제를 놓고 말다툼이 있은 후에, 테스는 젖 짜는 시간이 되면 혼자서 가장 멀리 있는 소를 찾아가 젖을 짰고, 쉬는 시간이면 왕골풀 숲 속이나 자기 방에서 남몰래 슬피 흐느껴 울곤 했다.

그녀는 역시 거절하기로 마음먹었다.

멋모르고 결혼했다가 결국에는 남편이 슬픔에 잠겨 살아가게 된다는 것은 견딜 수 없는 일이었다.

아무 말 없이 이삼 일이 지났다.

치즈를 만들 때 두 사람은 우연히 같이 일하게 되었다. 갑자기 일손을 멈춘 클레어는 테스의 두 손 위에 자기의 손을 얹었다. 그리고는 몸을 낮추어서 테스의 팔 안쪽 정맥이 보이는 부드러운 살결에 입술을 대었다. 그러자 테스의 맥박이 빨라지고 피는 손가락 끝에서 뛰어오르는 것 같았다.

"내가 왜 이렇게 하는지 알겠소, 테스?"

그는 물었다.

"절 아주 많이 사랑해 주시니까요."

"그래요. 그리고 다시 부탁하고 싶기 때문에 이러는 거요."

"이젠 어떤 말씀도 하지 마세요."

"오, 테스! 당신은 왜 날 이렇게 애타게 하는 거요? 왜 날 실망시키는 거요?"

"전 싫다고 말한 적 없어요."

그녀는 안타까운 나머지 입술이 파르르 떨렸다. 그녀는 달아나기 시작했다. 그 뒤를 클레어가 쫓아가고 있었다.

"말해 봐, 말해! 당신은 결코 나 이외엔 다른 누구의 사람도 되지 않겠다고 말해요. 어서 말해요!"

"말하겠어요! 모든 걸 이야기하겠어요. 제가 경험했던 모든 것을……"

"경험한 거라고? 그래요. 좋아, 모두 듣기로 하겠어."

"약속은 물론 지켜요. 하지만 내일! 아니, 다음 주에 말씀드릴게요."

"그렇다면 일요일에 말해 주겠소?"

"네, 일요일에요……"

테스는 겨우 그 자리를 벗어나 뒤뜰로 달려나갔다. 그녀는 잎들이 살랑거리며 소리내는 갈대밭을 마치 침대 삼아 몸을 내던졌다.

그리고는 흐느껴 울기만 했다. 그러나 슬픔은 금방 사라졌다. 사랑의 기쁨이 그것을 사라지게 해 주었다. 사랑의 종말을 두려워하면서도 그녀는 기쁨을 억누를 수가 없었다.

사실 테스의 마음은 클레어의 청혼을 받아들이는 쪽으로 기울고 있었다. 사랑이 자꾸만 그녀를 충동질하고 있었다.

'분별이고 뭐고 생각할 것 없이 그의 청혼을 받아들이자. 아무것도 고백하지 말고, 과거가 탄로나든 안 나든 그건 하늘에 맡기고 그와 결혼하기로 하자.'고.

해가 이미 기울었는데도 테스는 그 곳에 있었다. 젖 짤 시간이 되어도 그녀는 일을 나가지 않았다. 자기가 흥분하고 있는 걸 모두가 알아차리게 되면 놀림이 시작될 것이었다.

그 날은 수요일이었다. 곧 목요일, 금요일이 지나 토요일이 되었다. 그 다음 날이 클레어와 약속한 날인 것이다.

줄기찬 청혼

테스는 아침 식탁에서 일어나 클레어가 뒤를 따라오고 있는 것을 의식하며 꼬부라진 오솔길을 걸었다.

얼마 후에 강가에까지 이르렀다.

여자가 자기의 과거를 고백한다는 것은 테스에게 있어선 더없이 무거운 십자가를 지는 일과 같았지만, 다른 사람에게는 하나의 흥밋거리로밖에 생각되지 않을 것이다. 그것은 순교자를 비웃는 민중과도 같은 것이다.

"테스."

뒤에서 부르는 소리와 함께 도랑을 건너뛰어 온 클레어가 그녀 앞에 섰다.

"이제 얼마 후면 내 아내가 될 사람……. 그렇게 되어 주겠지?"

"아녜요, 당신을 위해서 안 되겠어요. 정말 당신을 위해서 거절해야만 하겠어요!"

"테스!"

"역시 거절하겠다는 대답을 해야겠어요."

클레어로선 이 같은 대답이 나오리라곤 상상도 못한 일이었다. 그녀가 너무나 단호하게 거절했기 때문에 클레어는 좀 감정이 상했다. 그는 잡고 있던 그녀의 허리에서 손을 풀었다. 키스도 단념하지 않을 수 없었다.

그 날 아침 식탁에서 주인 크릭 씨는, 자기의 애인을 속였다가 여자의 어머니로부터 교유기 속에서 봉변을 당했던 잭 돌로프란 사나이에 대한 얘기를 또 했다. 그 후, 돈 많은 과부를 만나 결혼했는데, 후에 돈이 하나도 없음을 알고는 속았다면서 밤낮 싸움만 하고 지낸다는 것이었다.

에인젤은 더는 아무 말도 못하고 괴로운 표정으로 그 자리를 떠났다.

9월 말쯤 되어 테스는 그의 눈으로부터 다시금 사랑을 바라는 간절한 눈빛을 읽을 수 있었다.

그는 이번에는 전과 다른 방법을 취하고자 했다. 테스가 거절한 것은 자기의 구혼이 너무 뜻밖이었기 때문이라고 나름대로 단정짓고 있었다. 그래서 어떤 다른 행동을 하거나 껴안는 행동 같은 것을 두 번 다시 하지 않으며 다만 말로써 최선을 다하고자 마음먹었다.

그 뒤로 클레어는 기회 있을 때마다 그녀에게 사랑을 고백했다. 어떤 젖 짜는 처녀라도 그처럼 줄기찬 청혼은 받아 보지 못했을 것이다.

테스도 물론 클레어를 사랑하고 있었다. 그래서 그녀는 자꾸 그가 이야기를 되풀이해 왔으면 하고 은근히 바라기도 하였다. 그처럼 따사로움 속에 빠져 있는 동안 근심은 사라졌다.

어느덧 추분이 가까워져서 해가 퍽 짧아진 계절이 되었다. 그러자 클레어의 사랑의 호소는 모습을 달리하여 다시 시작되었다.

여느 때처럼 테스는 잠옷 차림으로 클레어의 방 앞으로 가 그를 깨운 다음 옷을 입고 십 분 뒤 촛불을 들고서 계단 쪽으로 걸어가고 있었다.

그러자 클레어가 셔츠 차림으로 내려와 팔을 벌리고서 계단을 가로막았다.

“내려가기 전에 내 이야기를 들어요. 내가 말을 꺼낸 지 벌써 두 주일이 됐잖소. 이젠 더 참을 수 없어. 대체 어쩔 작정인가 말해요. ‘네’라고 분명히 말해 봐요.”

“클레어 씨, 조금만 더 기다려 주세요. 그 문젠 좀더 심각하게 생각해 봐야겠어요.”

“그럼 나를 에인젤이라고 한 번 불러봐요. ‘사랑하는 에인젤’ 하고 불러 보란 말이야."

"그렇게 하면 승낙하는 거잖아요? 그렇죠?"

"그런 건 아니야. 당신이 나와 결혼하지 않는다 하더라도 이미 당신은 오래 전에 날 사랑한다고 하지 않았소?"

"그렇다면 좋아요. 꼭 그렇게 말해야만 한다면. 사랑하는 에인젤……."

이렇게 속삭이는 테스의 입가에는 웃음이 번지고 있었다.

클레어는 절대로 그녀에게 키스하지 않겠다고 다짐하고 있었다. 그러나 크림걷기와 젖짜기를 마친 빈 시간에 귀엽게 서 있는 테스를 볼 때마다 클레어는 그녀의 뺨에 입술을 갖다 대곤 했다. 그럴 때면 다른 처녀들은 부러운 표정이 되어 두 사람을 눈여겨보는 것이었다.

"우리의 꿈 같은 생활과 저 처녀들의 생활은 아주 다른 것일 거요."

클레어는 말했다.

"하지만 당신이 생각하는 것 이상의 것을 그녀들은 갖고 있는걸요."

"어떤 걸 말이요?"

"저 처녀들은 나보다 더 좋은 아내가 될 수 있어요. 셋 모두가 말예요. 그녀들은 나와 마찬가지로 당신을 깊이 사랑하고 있어요."

"테스!"

테스는 갑자기 터져 나온 그의 외침 소리에 아주 마음이 놓였다. 이제부터는 두 번 다시 고민할 필요가 그녀에겐 없었던 것이다.

오후가 되자 주인들과 일꾼 몇몇 사람들은 평소와 마찬가지로 낙농장에서 얼마간 떨어진 목장으로 가서 젖을 짜기 시작했다.

주인 크릭 씨는 무거워 보이는 회중시계를 꺼내 들여다보았다.

"이크, 생각보다 너무 늦었는걸? 이거 곤란한데……. 꾸물거리다간 아무래도 차 시간에 댈 수가 없겠어. 여기서 곧장 정거장으로 가져가야 될 텐데. 누구 마차를 타고 좀 갖다 줄 사람이 없겠나?"

클레어는 그 일과 무관한 사람이었지만, 자기가 그 일을 하기로 하고 넌지시 테스에게 함께 갈 것을 권했다.

그녀는 그가 두 번씩이나 권해 오자 이내 스프링이 달린 짐마차로 올라 그의 옆자리에 나란히 앉았다.

정열적인 키스

두 사람은 목장이 이어져 있는 평탄한 도로를 달렸다. 그들은 서로 가까이 붙어 앉아서 각각의 생각에 골몰해 있었다.

얼마 전부터 흐리던 하늘에서는 빗방울이 떨어지기 시작했다.

원래는 연분홍색이었으나 볕에 그을어 연갈색이 된 테스의 얼굴은 그 빗발에 씻겨 빛나고 있었다.

"안 오는 게 나았을 걸 그랬나 봐요."

테스는 하늘을 올려다보며 조그만 소리로 말했다.

"비를 맞아서 그렇지? 미안해. 하지만 당신이 내 곁에 있으니 난 얼마나 기쁜지 몰라."

저녁 어둠이 내리자 공기가 차갑게 느껴졌다.

"팔과 어깨에 아무것도 걸친 게 없군 그래. 아무래도 감기 들겠어. 그럴 게 아니라 내게 좀더 다가와 앉아요."

그는 가만히 우유통을 덮었던 커다란 포장을 내려와서 자기와 테스의 몸을 감쌌다.

"이러면 좀 낫겠지? 당신의 팔은 마치 젖은 대리석 같아. 테스, 이 수건으로 좀 닦아요. 그런데 테스, 오랫동안 미뤄왔던 우리들의 그 문제 말이오. 당신은 전에 내게 약속한 것을 기억하고 있겠지?"

"네, 알아요."

테스가 대답했다.

"그럼 집에 도착하기 전까지는 꼭 말해 주겠지?"

"네, 될 수 있는 한 그렇게 하겠어요."

그리고는 그는 더 이상 아무 말도 하지 않았다.

멀리 희미한 불빛이 보였다. 그것은 어떤 작은 철도역에 걸려 있는 램프의 불빛이었다.

테스는 클레어가 쏟아지는 비를 맞으며 갓 짜낸 우유를 마차에서 내리는 동안 감탕나무 그늘에서 비를 피하고 있었다.

얼마 후 화차가 다가와서는 소리도 없이 마차 옆에 와 멎었고, 우유 통은 빠른 속도로 거기에 실렸다.

테스는 다시 애인 곁에 올라탔다. 그들은 함께 포장을 덮어쓰고 지척도 분간 못할 어두운 길을 달리기 시작했다.

"아까 했던 얘기는?"

에인젤이 물었다.

"나는 당신을 위해서 지금까지 망설였던 거예요. 제가 여기에 오기 전까지의 사연을……. 그걸 말해 두지 않으면……."

"어서 말해 보시오."

"부탁인데 제가 그 얘기를 다 털어놓을 수 있도록 내버려두세요……. 하지만 제 얘기를 다 듣게 되면 당신은 절 사랑하지 않게 될 거예요."

"사랑하는 테스, 어서 뭐든지 말해요. 전부 다."

테스는 우선 자기 집안 형편에 대해 대충 설명한 다음 이렇게 말을 이었다.

"저는……. 사실은 더비필드가 아니고 더버빌이 본래의 성이에요. 잘 아시겠지만 그러니까 저는 전통 있는 집안의 자손인 거지요. 하지만 지금은 망해서 가문을 제대로 이어가지 못하지요."

"더버빌이라고? 그래 테스, 당신의 걱정이란 그것뿐이었소?"

"그래요."

테스는 기어드는 목소리로 대답했다. 그러나 그녀는 아직 자기 비밀을 고백하지 않았다.

마지막 순간에 용기가 꺾여 버린 것이었다.

"그런데 참, 같은 더버빌이란 이름을 가진 벼락부자가 한 사람 있는데……. 뭐라고 했더라? 내가 당신한테 말한, 왜 그 체이스 숲 근방에 사는 남자 말이야. 우리 아버지를 모욕했던 그 사람. 이건 정말 우연의 일치인데!"

"절 꼭 아내로 맞아 결혼하겠다는 생각이라면……."

"암, 테스! 그건 당연한 생각이야."

"분명히 말씀드리지만, 만약 어떠한 잘못이 있더라도 그것 때문에 헤어지지 않겠다는 약속만 한다면 당신의 청혼을 받아들이겠어요."

"물론이오. 제발 그렇게 해 줘요. 이제야 당신은 '네'라고 대답을 한 거지? 영원히 내 아내가 되겠노라는 약속을 한 거란 말이오."

클레어는 그녀를 힘차게 끌어안고 입을 맞추었다.

"네."

그녀는 이 짤막한 한마디의 대답과 함께 갑자기 울음을 터뜨렸다. 느닷없는 그녀의 울음에 클레어가 놀랐다.

"아니, 왜 우는 거요, 테스?"

"전 모두, 이제 다 얘기할 수 있을 것 같아요. 당신의 아내가 되어 앞으로 당신을 행복하게 해드릴 걸 생각하면……."

"그럼 어디 당신이 날 사랑한다는 증거를 한 번 보여 줘요."

"여태껏 보여드린 그 이상의 증거가 또 어디에 있겠어요?"

테스는 정열적으로 외쳤다.

"이렇게 해 드리면 확실한 증거가 될까요?"

그녀는 그에게 정열적으로 키스했다. 클레어는, 여자가 사랑하는 남자의 입술에 어떻게 키스하는가를 테스에게서 알게 되었고 기쁨으로 가슴이 충만했다.

"자, 이젠 믿으시겠죠?"

그녀는 얼굴을 붉히고 물었다.

"믿고말고. 난 정말이지 이제껏 당신의 사랑을 의심한 적이라곤 한 번도 없었어."

마침내 테스는 승낙하고 만 것이다. 차라리 이럴 줄 알았다면 진작에 승낙하는 편이 좋았으리라는 생각도 들었다.

"어머니께 제 결혼에 대해 편지를 써야겠어요."

그녀는 말했다.

어머니의 충고

다음 날 테스는 어머니에게 편지를 보냈는데, 일주일 후에 옛날 문구로 된 서툰 글씨의 답장을 받았다.

사랑하는 테스

이 글을 쓰는 나는 무사히 지내고 있고, 이 글을 받게 될 너도 무사히 지내고 있으리라고 생각한다. 그리운 테스, 네가 결혼하게 되었다는 소식을 전해 듣게 되니 이 곳 가족들은 얼마나 기쁜지 모르겠구나. 그런데 너도 잘 알고 있겠지만 네 아버지는 지금까지 가문만 자랑하고 다니기 때문에 자세한 얘기는 하지 않았단다. 젊은 처녀들이란 한때 잘못이 있기도 하니까, 너는 네 허물을 절대 얘기하지 않도록 해라. 그리운 테스, 마음을 모질게 먹고 용기를 내야 한다. 그리고 너희 새 부부를 위한 선물로 능금주 한 통을 보내 줄 예정이다. 이만 줄이겠다. 소중한 신랑에게 안부를 전해다오.

존 더비필드

"어머니! 어머니!"

테스는 어머니를 불러보았다.

어머니는 그녀처럼 괴롭지 않았다. 그녀의 마음을 끈질기게 괴롭히는 지난날의 비극도 어머니에게 있어서는 잊혀진 일에 불과한 것이었다.

그러나 이유야 어찌 되었건 이제부터 가져야 할 태도는 어머니의 충고가 전적으로 옳은 것 같았다.

클레어의 사랑은 최소한 세속적이지는 않았다. 테스에게 있어서 클레어는 더할 수 없이 선량한 사람이었으며, 지도자이자 철학자, 친구로서 알고 있어야 할 모든 것을 이미 알고 있는 사람이었다.

테스는 자신의 모든 과거를 지워버리고 싶었다. 할 수만 있다면 모든 것을 되돌리고 싶었고, 그럴 수 없기에 더더욱 과거를 잊으려 애썼다. 그 결과 한 남자에게 가지고 있었던 증오심의 반작용으로 클레어를 비정상적으로 찬미하게 되었던 것이다.

그들은 이제 아무 거리낌 없이 함께 있기를 갈망하였다. 테스는 천진난만하게 그의 곁에 있고 싶은 열망을 드러내 보였다.

일요일에 그들은 아주 늦게까지 함께 거닐었다.

결혼을 약속한 첫째 일요일 밤, 낙농장의 일꾼들 몇 사람은 잘 알아들을 수는 없었지만, 테스가 기쁨에 들떠 어쩔 줄을 모르며 무언가를 속삭이는 소리를 들었다.

클레어를 향한 테스의 사랑은 그녀의 삶에 있어 생명이나 다름없었다. 그것은 찬란한 빛으로 그녀를 감싸고 있었으며, 아울러 모든 슬픔을 잊게 하는 것이었다.

어느 날, 집안 사람들이 모두 외출하고 테스와 클레어만이 남아 집을 보고 있었다.

"아무래도 전 당신에게 맞지 않아요. 어울리지가 않아요."

테스가 갑자기 말했다.

"사랑하는 테스, 이젠 그런 말은 두 번 다시 하지 말아요."

테스는 목구멍에서 치밀어오르는 울음을 애써 누르며 말했다.

"왜 당신은 그 때 춤놀이에서 나를 선택해 주지 않으셨어요? 어린 동생들과 함께 살고 있었던 그 때, 당신이 풀밭에서 춤을 추었던 그 때 말이에요."

그녀는 두 손을 꼭 모아 쥐며 말했다.

에인젤은 그녀를 위로해 주었다. 속으로 '어쩌면 기분이 저토록 쉽게 변하는 것일까?' 하고 놀라면서.

"아 글쎄, 그 때 그 곳에 더 머물렀어야 했는데……! 나도 어리석다고 생각해요. 그 때부터 진작 알았더라면……. 하지만 테스, 그건 지나간 일이잖소?"

그러자 본심을 숨겨야 하는 테스는 서둘러 화제를 바꿨다.

"만약 그렇게 됐다면 나는 사 년 전부터 당신의 마음을 차지했을 테니까요."

깊은 마음의 상처를 입었음에도 불구하고 지금 그녀는 여린 눈빛을 한 겨우 스물한 살의 소녀였다.

얼마 후에 낙농장 주인 부부와 젖 짜는 처녀들이 돌아왔다. 테스는 놀라며 클레어 곁에서 벌떡 일어났다.

"우리는 얼마 후 곧 결혼합니다."

클레어가 짐짓 냉정하게 말했다.

"아, 그래요? 그거 참 반가운 소식이군요. 클레어 씨, 우린 전부터 그렇게 되리라고 짐작은 했었지요."

그런 말들이 오가는 동안에 테스는 슬그머니 빠져 나왔다. 크릭 씨의 노골적인 칭찬이 부끄럽기도 했고 다른 처녀들 앞에 있는 것이 난처했기 때문이다.

불을 끄고 모두 잠자리에 들었을 때 마리안이 테스를 건너다보며 속삭였다.

"테스, 넌 그 사람의 아내가 되었다고 해서 우릴 잊지는 않겠지? 사실 우리 모두 그 사람을 좋아했지."

그 얘기를 듣는 순간 테스는 자기의 과거를 클레어에게 고백해야 한다는 결심을 굳혔다. 더 이상 숨긴다는 것은 클레어를 배신하는 일일 뿐만 아니라, 사랑을 이루지 못한 세 처녀들에게까지 나쁜 일로 생각되었기 때문이다.

미루어진 고백

테스는 결혼 날짜를 자꾸만 미루었다. 클레어가 재촉도 해 보았지만 십이월 초까지 결혼 날짜는 미정이었다.

가끔 크릭 부인이 두 사람만의 시간을 주고자 함께 볼일을 만들어 주곤 했는데, 그 때마다 클레어는 테스에게 졸랐다.

"아까 주인이 겨울엔 별로 사람이 필요 없다고 하던데, 들었소?"

클레어가 물었다.

"아뇨."

"암소들은 자꾸만 젖이 말라 가고 있어요."

"그래요. 주인은 이제 나 따윈 필요 없다고 하겠지요."

"주인이 그렇게 말한 적은 없었소. 다만, 우리 관계를 알고 있으니까 이번 크리스마스에 내가 여길 떠날 때 당신도 함께 데리고 가는 게 좋겠다고 했을 뿐이오."

테스는 그 때까지도 그 문제에 대해 심각하게 생각해 본 적이 없었다. 그녀는 결혼을 포기하고 클레어가 없는 다른 농장으로 가는 것을 생각해 보았다.

"그래서 얘긴데 사랑하는 테스. 당신과 나는 크리스마스에 이 곳을 떠나야 할 테니까, 결혼해 떠나는 것이 좋을 성싶고 또 그게 편할 것 같소. 우리가 언제까지나 이런 상태로 살아갈 수는 없지 않겠소?"

"이 상태로 지낼 수만 있다면 얼마나 좋을까요? 하지만 에인젤, 그래요. 알았어요."

그리하여 돌아오는 밤길에 그들은 마침내 결혼 날짜를 정하였다.

낙농장에 돌아온 두 사람은 크릭 부부에게 그것을 알렸다.

두 사람은 될 수 있으면 남들에게 알리지 않고 조용히 결혼식을 올리고 싶었다.

크릭 씨는 오래지 않아 테스를 내보내려고 생각하고 있었지만, 그녀가 막상 떠난다고 하니 테스만큼 일 잘하는 일꾼을 구할 수 없을 것 같아 매우 안타깝기도 했다.

테스는 어머니 앞으로 다시 편지를 내었다.

그것은 결혼식 날짜를 알리기 위해서였지만, 사실은 다시 한 번 어머니로부터의 조언이 필요하기 때문이기도 했다.

그녀는 편지에, 클레어는 결혼 후의 고백 같은 건 받아 줄 것 같지 않다고 썼다. 하지만 아무리 기다려도 어머니의 답장은 오지 않았다.

클레어의 아버지와 어머니는 그가 테스를 데리고 어디로 가든 그 전에 테스를 꼭 한 번 만나보고 싶어했다.

이윽고 그 날이, 그녀가 클레어의 아내가 될 믿기지 않는 날이 이제 곧 눈앞의 일로 닥쳐왔다. 그 해의 마지막날인 12월 31일로 정해진 것이다.

"그 사람의 아내가 된다……. 정말 그렇게 될 수 있을 것인가……?"

테스는 중얼거려 보았다. 테스는 전부터 가지고 있던 흰옷을 입어야 할지 새 옷을 준비해야 할지 망설였다. 그러나 그 고민은 클레어가 테스에게 보낸 소포로 해결되었다.

소포 꾸러미 속에는 구두며 모자, 낮에 입을 멋진 예복까지, 두 사람의 결혼식에 어울릴 모든 게 갖춰져 있었다.

"당신은 어쩜 그렇게 자상하세요? 장갑과 손수건까지! 사랑하는 에인젤, 당신은 정말 꼼꼼하고 친절한 분이세요!"

"그런 말 하지 말아요, 테스. 난 다만 런던의 여점원한테 부탁만 했을 뿐인걸 뭐."

클레어는 이층에 올라가서 테스에게 사이즈가 맞는지 어떤지 한번 입어 보도록 권했다. 옷이 맞지 않으면 마을의 수선집에 가서 좀 고치라고 말했다.

테스는 비단 가운을 입어 보았다.

자기의 모습을 거울에 비춰보던 테스는 갑자기 옷의 빛깔이 변해서 자기 정체가 밝혀진다면 어찌될 것인지를 생각했다.

불길한 징조

에인젤은 결혼하기 전에 테스와 단둘이 하루를 즐겁게 보내고 싶었다.

얼마 남지 않은 중대한 일을 앞두고 로맨틱한 하루를 보내고 싶었던 것이다. 그래서 결혼식 일주일을 남겨 둔 어느 날, 살 물건도 있고 해서 그들은 읍으로 함께 나갔다.

읍에 도착한 두 사람은 난생 처음 서로 의논해가며 물건을 샀다. 테스는 아름다운 얼굴에 행복한 표정을 지으며 클레어의 팔에 기대어 같이 다녔다.

저녁 무렵 오는 길에 들렀던 여관으로 되돌아와서 클레어가 마차와 말 준비를 시키러 나간 사이, 테스는 문 옆에 서서 그를 기다리고 있었다. 응접실엔 손님으로 가득 찼고 많은 사람들이 드나들었다. 그 때 안에서 남자 둘이 나오고 있었는데, 그 중 한 사람이 테스를 보고 놀란 얼굴로 아래위를 훑어보는 것이었다.

그 곳은 트랜트리지로부터 아주 먼 곳으로 그 곳 사람들이 거기까지 온다는 것은 참 드문 일이었지만, 테스는 어쩜 그가 트랜트리지 사람일

지도 모른다고 생각했다.

"멋진데……."

"그래, 아주 예뻐. 하지만 내 생각이 맞다면 말이지……."

사나이는 이렇게 말하면서 말끝을 흐렸다.

그 때 마침 마구간으로부터 돌아오고 있던 클레어가 문가에서 그 남자와 마주치게 되었다.

테스가 모욕을 당했다는 생각이 들자 화가 난 클레어는 전후 사정을 알려고도 하지 않은 채 주먹으로 남자의 턱을 냅다 올려쳤다.

하지만 남자는 더 이상 일을 크게 벌이고 싶지 않았는지, 다시 한 번 힐끗 테스의 얼굴을 쳐다보고는 이렇게 말하는 것이었다.

"이거 실례했습니다. 내가 잘못 본 모양이군요. 내가 아는 여자로 착각했습니다."

클레어는 남자에게 사과를 하고 약값으로 오 실링을 주며 서로 기분 좋게 인사를 건네고 헤어졌다.

마부한테서 고삐를 받아 쥔 클레어가 테스를 옆자리에 태우고 떠나자 두 남자도 반대쪽으로 걸어갔다.

"우리 결혼식을 뒤로 좀 늦추는 게 어때요?"

"그건 안돼. 테스! 마음을 가라앉혀요. 내가 그 녀석을 때려서 법정에라도 서게 될까봐 그래요?"

"그런 게 아녜요. 다만, 그런 생각을 좀 해 봤을 뿐이에요."

그날 밤 계단에서 클레어와 작별을 하고 난 테스는 물건 정리를 하기 시작했다. 그런데 한참 시간이 흐른 후, 천장 위에 있는 에인젤의 방에서 갑자기 바닥을 구르는 듯한 소리가 들려왔다. 불안한 생각에 쫓기며 테스는 계단을 뛰어올라가 그의 방문을 두드렸다.

"테스, 아무것도 아니오. 당신을 깨워서 정말 미안해. 좀 우스운 일이 있었지. 꿈속에서 아까 당신에게 모욕을 주었던 그 녀석하고 싸움이 붙어 버린 거야. 그래서 여행 가방을 마구 주먹으로 내리쳤던 거요. 난 이따금 자면서 실없는 짓을 잘한다니까. 이젠 괜찮아요, 테스."

이 사건이 다시 한번 테스의 결단력을 부추겼다. 테스는 다른 방법이 하나 떠올랐다.

테스는 자기 방으로 와 지난 삼 년 동안에 일어났던 일들을 편지에 간단하게 썼다. 그리고는 살그머니 계단을 올라가 클레어의 방문 밑으로 편지를 밀어넣었다.

그런데 다음 날, 단둘이 있게 되었는데도 클레어는 그녀의 편지에 대해 전혀 얘기가 없었다.

'그가 편지를 읽지 않았다는 것이 과연 있을 수 있는 일일까?'

하루가 가고 그 다음 날이 되어서도 그의 태도는 변함이 없었다.

이렇게 해서 마침내 섣달 그믐날, 드디어 결혼식 날이 되었다.

아침 식사를 하러 아래층으로 내려가자, 부엌과 방들은 그들을 위해 전날과는 달리 말끔히 청소되어 있었고 예쁘게 꾸며져 있었다.

"오늘 경사를 위해서 좀 뭔가 해 볼 작정이었소. 옛날부터 늘 하던 것처럼 첼로나 바이올린 같은 걸로 북적대며 즐겁게 놀게 하고 싶었지만, 아무래도 당신이 좋아할 것 같지 않아서 다른 방법으로 기쁘게 해주고 싶었소."

테스의 가족들은 너무 먼 곳에 살고 있었기 때문에 아마 초청을 받았다 하더라도 결혼식에 참석할 수는 없었을 것이다.

에인젤 자신의 가족에게는 그가 미리 편지로 결혼 날짜를 알리며 모쪼록 한 사람이라도 참석해 주기를 부탁해 두었었다. 그러나 그의 행동에 화가 난 형들은 그에게 회답조차 보내 오지 않았다. 양친도 실망스럽다는 편지를 보내왔다.

테스는 자신의 편지를 읽은 에인젤의 태도가 조금도 바뀌지 않았다는 사실이 불안했다.

과연 그가 그 편지를 본 것인지 의심을 품게 되었다. 그래서 테스는 그의 방으로 올라가 편지를 밀어넣었던 방문턱을 살펴보았다. 카펫 밑에 클레어에게 썼던 편지가 그대로 들어 있었다.

테스는 기절할 것 같은 기분으로 편지를 뽑아냈다. 그 편지는 자기의 손에서 떠날 때와 조금도 다름이 없었다. 그녀는 고백을 하지 못한 것이다. 온 집안이 잔치 준비로 떠들썩한 지금 그에게 그 편지를 읽으라고 말할 수는 없는 노릇이었다.

테스는 자기 방으로 돌아와 그것을 찢어 버렸다. 결혼식의 증인으로는 주인 부부가 입회하기로 되어 있었다.

계단 맨 위에서 테스가 클레어와 단둘이 만났다.

"당신에게 할 얘기가 있어요. 지난날을 고백해야만 마음이 편할 것 같아요."

그녀는 될 수 있으면 밝은 표정을 짓고자 애썼다.

"그만둬요. 지금은 지난날의 잘못 따위를 얘기하고 있을 한가로운 때가 아니오. 적어도 오늘만큼은 잘못에 대해 생각하지 말아요. 서로의 잘못을 얘기할 시간은 앞으로도 얼마든지 있소. 그 땐 나도 내 잘못을 얘기할 거요."

"전 아무래도 지금 얘기하는 게 좋겠어요. 그렇잖으면 나중에 당신이……."

"이따가 여관에 닿게 되면 얘기하기로 해요. 하지만 지금은 안 돼요. 내 잘못도 그때 얘기할 테니까……."

옷을 갈아입고 떠나야 했으므로 더 이상의 시간을 지체할 여유가 없었다. 그녀 또한 조용히 생각해 볼 겨를이 없었다.

이제 얼마 후면 오랫동안 거부만 해오던 자신이 그의 아내가 되어, 그를 가장 사랑하는 남편이라고 말할 수 있게 되는 것이다.

주위의 나무들이 모두 잎을 떨군 채 겨울바람에 몸서리를 쳤고, 그들은 마차를 타고 교회로 향했다.

테스는 꿈속에 있는 것 같았다. 어느 길을 지나 교회에 가고 있는지조차도 모른 채, 그저 멍하니 에인젤이 자기 옆에 앉아 있다는 것만을 의식할 뿐이었다.

결혼식은 간단하게 거행되었으며 교회에는 십여 명만이 참석하였다. 그러나 만일 그 곳에 천여 명의 축하객이 모였어도 지금의 테스보다는 기쁘지 않았을 것이다.

그들이 식을 마치고 나오자 교회의 첨탑에서는 조용하고도 은은한 종소리가 울려 퍼졌다.

집에 도착하자 테스는 밀려드는 죄책감과 후회로 기운을 잃었다. 그녀는 이제 분명한 에인젤 클레어의 부인이었다. 그러나 자신이 그걸 주장할 만한 도덕적인 자격이 있는 건지, 오히려 자기는 알렉 더버빌의 아내라고 하는 편이 옳지 않은지 마음이 괴로웠다. 그녀는 이제 마지막이 될, 자신의 방에 혼자 잠시 머물게 되자 무릎을 꿇고 기도를 올렸다.

오후가 되어 그들은 떠날 차비를 마쳤다.

이 신혼 부부는 웰브리지 부근에 있는 낡은 농가에서 며칠 간 묵기로 했던 전부터의 계획을 실행하기로 했다.

두 시가 되어 막 떠나려던 참이었다. 낙농장에서 일하던 사람들 모두 그들이 떠나는 것을 전송하려고 붉은 벽돌집의 입구에 서 있었다.

테스가 남편에게 타이르듯 속삭였다.

"저 세 아가씨들한테 키스해 주세요. 처음이자 마지막일 테니까요."

테스의 뜻에 따라 마지막이 될 그녀들과 작별을 하기 위해 클레어는 모두에게 차례로 키스를 했다.

"잘 있어요."

클레어는 마지막으로 주인 부부와 악수를 나누며 그 동안의 호의에 감사한다는 인사를 했다.

신혼 부부가 떠나기까지 주위는 잠시 조용했는데 갑자기 한 마리 수탉이 홰를 쳤다.

"아니, 이게 무슨 변이냐? 낮에 닭이 울다니!"

크릭 부인이 외쳤다.

수탉이 다시 한 번 홰를 쳤다.

"저런 소리는 듣기 싫어요. 이제 마차를 출발시켜요. 모두 안녕히 계세요."

테스가 남편한테 말했다.

"쉿! 저리 가지 못해? 계속 그러면 이젠 모가지를 비틀어 버릴 테다!"

크릭 씨는 화가 난 듯 닭을 쫓으며 말했다.

"하필이면 오늘 같은 날. 그런데 이상하군. 난 저놈이 낮에 우는 건 들어 본 적이 없단 말이야."

"이상하긴요, 날씨가 변하려고 그런 것뿐이겠지요. 설마하니 무슨 일이 있겠어요?"

크릭 부인이 말했다.

고 백

마차를 몰고 웰브리지에 닿은 두 사람은 큰 다리를 건너 두 사람이 묵게 될 집에 도착하였다.

한때는 당당한 저택이었던 그 곳은 더버빌 가문의 어느 사람이 가지고 있었던 것이다. 그런데 나중에는 농장 경영자의 소유로 바뀐 것이다.

마침 주인은 새해 인사를 가서 집은 비어 있었고, 대신 근처 농가에서 데려다 놓은 한 여자가 두 사람의 심부름을 해 주기 위해 와 있었다.

그들은 그 집을 모두 쓸 수 있는 것이 매우 기뻤다. 한 집에 단둘이서 지낼 수 있게 되기는 이것이 처음인 것이다.

그들은 손을 씻기 위해 하녀의 안내를 받았다. 그런데 계단 꼭대기에 다다랐을 때 테스는 놀라서 몸을 움츠렸다. 실물 크기의 초상화 두 개가 벽에 걸려 있었는데 어쩐지 음산한 느낌을 주었기 때문이다.

그림은 약 이백 년 전의 중년 여자의 모습으로 입가에 떠올린 웃음이 매정하면서도 음험하게 보였다. 또 한 여자는 험상궂을 만큼 오만스러워 보였다. 초상화는 꿈속에서 다시 보게 될까 무서울 정도였다.

"저건 누구의 초상화요?"

클레어가 하녀에게 물었다.

"마을 노인한테 들은 바로는 옛날 이 저택의 주인이었던 더버빌 가의 귀부인이라나 봐요. 벽에 짜 넣은 것이라 떼어낼 수도 없어요."

하녀가 대답했다.

클레어는 어깨를 약간 들먹이며 이런 집을 택하게 된 것을 후회하면서 옆방으로 들어갔다.

섣달 그믐날 짧은 해도 어느덧 저물어가고 있었다. 햇살은 황금빛으로 테스의 치맛자락에 어른거리고 있었다.

그들은 고풍스러운 응접실에 앉아 함께 차를 마시며 처음으로 두 사람만의 식사를 마쳤다. 두 사람은 식탁에 마주 앉아, 어둡기 전에 보내주겠다고 낙농장 주인이 약속했던 짐들이 오기를 기다렸다. 그러나 날이 어두워졌는데도 짐은 도착하지 않았다. 이윽고 날씨가 변하더니 비가 내리기 시작했다.

하녀도 자기 집으로 돌아가고 한참을 기다린 후 거칠게 문을 두드리는 소리가 났다. 문을 열러 나갔던 클레어는 작은 소포를 하나 들고 돌아왔다.

"짐을 갖고 온 사람은 조너선 영감이 아니야."

그는 말했다.

"무슨 일이 있는 게 아닐까요? 걱정이 돼요."

테스가 말했다.

소포를 가져온 사람은 에민스터 목사관에서 고용한 심부름꾼으로 신혼 부부에게 꼭 전해야 한다는 명령을 받았기 때문에 뒤늦게 톨버세이스에 도착했다가 다시 그들의 뒤를 따라 여기까지 찾아온 것이었다.

클레어는 불이 있는 곳으로 소포를 가져왔다. 그것은 보자기로 싸여 실로 기워졌고, 길이는 채 한 자도 안 되는 것이었다.

클레어 아버지의 도장으로 붉은 봉인이 되어 있었으며, 아버지의 필적으로 '에인젤 클레어 부인에게'라고 적혀 있었다.

"테스, 당신한테 온 결혼 선물이오."

그는 테스에게 그것을 건네 주었다. 그것을 받은 테스는 선물을 풀 용기가 나지 않았다.

"당신이 풀어 주세요."

그녀는 다소 긴장된 듯 남편을 바라보았고 그는 곧 소포를 풀었다.

헝겊 안에는 모로코 가죽 상자가 들어있었는데, 편지와 열쇠가 함께 들어 있었다.

편지는 클레어 앞으로 씌어져 있었다.

사랑하는 내 아들아! 혹시 너는 잊고 있을지도 모르지만 너의 대모인 피트니 부인이 임종하기 직전에 지니고 있던 보석을 나에게 맡기면서 네가 훗날 결혼하게 되었을 때, 아내에게 애정의 표시로 그 보석들을 네 아내가 된 사람에게 주라고 말씀하셨단다. 그래서 나는 이 부탁을 옮기기 위해 보석들을 네 아내에게 보낸다.

　네 대모의 유언장에 의하면 이 물건은 대대로 물려주는 재산이 되어야 한다고 적혀 있으며, 그 점에 대해서는 나도 같은 생각을 가지고 있다. 여기에 정확한 문서를 동봉한다.

상자 안에는 여러 가지 장식이 달린 목걸이와 팔찌, 귀걸이 등이 있었고 그밖에 크고 작은 장신구들이 들어 있었다.

"이것이 모두 제 것인가요?"

테스는 믿지 못하겠다는 듯이 말했다.

"물론이오. 어서 꺼내 보구려!"

그러나 테스는 그의 말이 끝나기도 전에 이미 목걸이며 팔찌 등 그밖의 보석들을 마치 무엇에 홀린 사람처럼 몸에 걸치고 있었다.

"아주 근사해! 당신은 정말 아름다워!"

클레어는 보석과 똑같이 빛나는 모습의 테스를 보고 외쳤다. 그들은 그대로 앉아서 다시 조너선 영감이 짐을 가지고 오기를 기다렸다.

잠시 후, 복도에서 무거운 발자국 소리가 들려, 에인젤이 나가 보니 조너선 영감이 짐을 들고 서 있었다.

"아무리 문을 두드려도 대답이 없고 게다가 밖에는 비가 오기 때문에 제가 마음대로 문을 열었습니다. 나리 짐을 가져왔습죠."

조너선 영감은 무슨 걱정이 있는 듯했다. 그는 말을 이었다.

"서방님하고 부인께서, 이젠 이렇게 부릅죠. 낮에 떠나신 뒤에 농장에서 하마터면 큰일이 날 뻔했습죠. 오늘 낮에 닭이 운 것을 알고 계시죠?"

"글쎄, 그게 이런 징조니 저런 징조라느니 말들이 많았는뎁쇼. 그 가없은 레티가 물에 빠져 자살을 하려 했어요."

에인젤은 깜짝 놀랐다.

"그럴 리가 없어! 그 처녀도 우리보고 잘 가라고까지 했는데……."

"네, 그랬습죠. 그런데 어떤 뱃사공이 집으로 돌아가는 길에, 늪 옆 레티의 모자와 목도리가 둘둘 뭉쳐져 있는 것을 발견하고는 물 속에서 레티를 찾아냈습죠. 다행히 목숨은 건졌어요."

테스도 목도리를 두르고 바깥방으로 나와 조너선 영감의 이야기를 듣고 있었다.

"그뿐만이 아니라 마리안도 사고를 일으켰어요. 갯버들이 늘어선 강변에 곤죽이 되어 쓰러져 있는 걸 겨우 발견해서 데려왔습죠."

"이즈는요?"

테스가 물었다.

"그 처녀는 집에 그대로 있었는데 매우 심란해하며 왜 이렇게 됐는지 알고 있다고 말하더군요. 그래서 늦고 말았습니다, 서방님."

"그래, 그건 그렇고. 조너선, 이 짐들을 이층으로 올려 주고 맥주나 한잔 들고 되도록 빨리 집으로 돌아가요. 혹시, 또 무슨 일이 일어날지 모르니까."

테스는 난롯가에 앉아 슬픈 생각에 잠긴 듯 빨갛게 타고 있는 불을 물끄러미 바라보고 있었다. 조너선의 마차 소리가 멀어져 갔다.

클레어는 난롯불이 환한 테스 곁으로 다가와 그녀 옆에 앉았다.

"당신에게 그 처녀들의 좋지 못한 소식을 듣게 해서 미안해요. 그렇지만 그런 일로 괴로워하지는 말아요."

"이유가 있었을 거예요."

테스가 말했다.

"이유가 있는 사람은 오히려 그걸 감추려고 해요."

짐짓 클레어는 대수롭지 않게 말했지만, 이 말은 테스의 마음에 심한 고통을 안겨 주었다.

테스는 처녀들의 일이 자기 탓처럼 느껴져 마음이 무거웠다.

"당신, 오늘 아침에 우리의 허물을 서로 고백하자고 말했던 거 생각 나오? 나, 당신에게 고백할 것이 있어요."

"고백이라구요?"

"당신은 나를 너무 좋게 생각했기 때문에 내가 고백하고자 하는 내용에 대해서 그리 심각하게 받아들이질 않았던 모양이군. 난 당신한테 용서를 받아야 할 일이 있소. 결코 노엽게 생각지 말고……. 나를 용서해 주겠다고 약속해 주오, 테스."

클레어는 이렇게 말한 뒤 런던에서 방황할 때, 어느 연상의 여인과 한동안 사랑에 빠졌던 일을 테스에게 이야기했다.

"다행히도 나는 그것이 어리석은 짓이라는 것을 빨리 깨달았고, 그 후론 그런 짓을 두 번 다시 되풀이하지 않았소. 당신은 그런 나를 용서해 주겠지, 사랑스런 테스?"

테스는 아무 말도 하지 않고 그의 손을 꼭 잡았다.

"그런데 에인젤, 이번에는 당신이 저의 고백을 들어주실 차례예요. 제가 전부터 고백하려 했던 것을 알고 계시죠?"

"아아, 기억하구말구. 어서 이야기해 봐요."

"그럼, 얘기하겠어요."

두 사람은 서로 손을 잡은 채 앉아 있었다.

테스는 클레어의 어깨에 이마를 기대며 알렉 더버빌과 알게 된 사연과 그 결과까지 눈을 내리뜬 채 모두 말하기 시작했다.

돌변한 남편

드디어 테스의 이야기가 끝났다. 그녀의 목소리는 처음부터 끝까지 똑같았다. 중요한 부분은 되풀이해서 설명했다.

클레어는 난로의 불만 뒤적이고 있었다. 타다 남은 재들을 뒤적이다 말고 그는 벌떡 일어서서 생각을 가다듬으려는 듯 마룻바닥을 거닐기 시작했다.

"테스!"

"네, 클레어."

"나더러 그 말을 믿으라는 거요? 당신 설마 미치진 않았겠지?"

"클레어, 전 미치지 않았어요."

"왜, 어째서 그런 말을 진작에 하지 않았지? 아니야. 그러고 보니 전에 내게 말하고 싶은 것이 있다고 한 기억이 나는군. 그걸 내가 막았던 거야."

테스는 희미한 눈으로 그를 바라보며 서 있었다. 이윽고 그녀는 그의 발밑에 무릎을 꿇고 그 자리에 푹 쓰러지고 말았다.

"사랑으로 저를 용서해 주세요! 같은 일로 저는 당신을 용서해 드렸잖아요, 에인젤!"

그녀가 메마른 입술로 속삭였으나 그는 대답하지 않았다.

"당신이 용서받았듯이 절 용서해 주세요! 당신을 용서해 드리고 있잖아요."

"당신이……. 그렇지, 당신은 날 용서해 주었어."

"그런데 당신은 절 용서해 주지 않고 있잖아요!"

"테스! 이런 경우엔 용서란 말이 통하지 않아."

클레어는 말을 끊고 잠시 생각에 잠겼다. 그러다가 갑자기 그는 지옥에서나 들을 수 있을 것 같은 괴상한 소리를 내며 웃었다.

"그만두세요. 제발 그만하세요! 그 웃음소리를 들으니 전 죽을 것만 같아요."

테스는 핏기를 잃은 얼굴로 자리에서 벌떡 일어나 부르짖었다.

"에인젤, 에인젤! 왜 그렇게 웃나요? 그 웃음이 나를 얼마나 고통스럽게 하는지 모르시나요?"

클레어는 고개를 좌우로 흔들 뿐이었다.

"전 지금까지 오직 당신을 행복하게 해 드리려고 제 모든 정성을 기울였어요."

"그건 나도 알고 있소."

"에인젤, 저는 당신이 바로 여기 있는 그대로의 나를 사랑해 주시는 줄로만 알고 있었어요. 그런데 어떻게 그런 얼굴로 그렇게 웃을 수 있나요?"

"지금까지 내가 사랑한 여자는 당신이 아니었던 것 같아."

"그렇다면, 그건 누구죠?"

"당신의 허울을 쓴 다른 여자였지."

클레어의 이 말을 들은 그녀는 걱정했던 예감이 현실로 되어버린 것을 알 수 있었다. 그녀가 넘어질 듯이 보이자 클레어는 그녀 앞으로 다가섰다.

"여기 앉아요. 당신 기분이 안 좋은 것 같군. 하긴 그럴 법도 하지만 말이지."

테스는 무너져 내리듯 앉았다.

"그러면 전 이제 당신의 아내가 아니군요. 당신이 사랑했던 것은 제가 아니고 절 닮은 여자란 말이죠, 에인젤?"

테스가 울음을 그쳤다.

"에인젤!"

테스가 문득 평상시의 음성으로 그를 불렀다.

"에인젤, 저는 이제 모든 것을 그만둘 거예요."

"그만두다니?"

"이젠 당신이 하라는 일만 할 거예요. 하지만 당신이 저를 떠나 다른 곳으로 간다 해도 쫓아가지 않겠어요."

"내가 어떠한 요구를 한다 해도 말이오?"

"엎드려 죽으라 해도 따르죠. 당신의 가엾은 노예처럼 말예요."

"당신은 참으로 좋은 여자요. 하지만 어쩐지 좀 앞뒤가 맞지 않는 것 같군. 나는 이 방 안에 이대로…… 있을 수가 없어. 산책이나 하고 오겠소."

클레어의 문닫는 소리에 테스는 정신을 차리고 그를 따라 나갔다. 비는 그치고 밤하늘은 맑게 개어 있었다.

클레어는 지향없이 천천히 걷고 있었다. 테스도 무심코 걷다 보니 클레어의 옆에까지 가게 된 것이다. 클레어는 여전히 침묵을 지키고 있었다. 그 어느 누구라도 생각을 방해해선 안 되겠지만 그녀는 그에게 말을 걸지 않을 수 없었다.

"에인젤, 전 당신이 생각하고 있는 것처럼 사람을 속일 만큼 마음이 어두운 여자는 아니에요."

"그래, 당신은 그런 여자는 아니야. 하지만 전과 같은 여자도 아니오. 그러나 난 당신을 책망하지 않아. 책망하지 않겠다고 맹세했으니까."

"에인젤, 에인젤! 전 말이죠……. 그런 일이 있을 당시에는 어린애였어요! 남자에 관해서는 아무것도 모르는 어린애였던 거예요."

"당신이 스스로 죄를 지은 것이 아니고 당했다는 것도 알고 있어."

"그런데도 당신은 절 용서해 주지 않는군요."

"용서하긴 하지. 그렇지만 용서하는 것만으로 문제가 해결되는 것이 아니야."

"절 계속 사랑해 주실 거죠?"

에인젤은 대답하지 않았다. 테스는 비로소 그가 전처럼 자기를 사랑하고 있지 않다는 것을 분명하게 알 수 있었다.

"에인젤, 전 당신의 일생을 불행하게 만들 것 같군요. 저기 저 강물이 보이죠? 난, 지금 저기 빠져 죽어 버리고 싶은 심정이에요. 조금도 두렵지 않아요."

"테스, 난 살인 누명까지 쓰고 싶지는 않아."

"그럼 제가 스스로 자살을 했다는 것을 모든 사람들이 알도록 증거물을 남겨 놓겠어요. 그렇게 하면 당신이 책망받지는 않을 거예요."

"그런 바보 같은 소리는 그만둬요. 그런 일을 생각한다는 것은 어리석은 짓이야. 제발 부탁이니, 이젠 들어가서 좀 쉬어요."

"네, 그렇게 하겠어요."

테스는 유순하게 그 말에 따랐다. 테스는 집으로 돌아와 곧 짐을 가져다 둔 이층의 자기 방으로 올라갔다.

그날 밤 늦게 집으로 돌아온 클레어는 테스 옆에서 자지 않았다.

어이없는 이별

클레어는 새벽에 잠이 깨어 눈을 떴다. 지난밤에 차려 놓은 저녁 식탁 위에는 가득 따라진 포도주가 그대로 놓여 있었다.

하녀가 왔지만 클레어는 그녀를 돌려보내고 직접 아침 준비를 했다. 준비가 다 되자 클레어는 계단 밑으로 가서 평소와 같은 목소리로 테스를 불렀다.

"조반 준비가 다 되었소, 테스."

그리고 현관문을 열고 밖으로 나갔다. 서늘한 아침 공기를 마신 후 돌아와 보니, 테스는 아래층으로 내려와 묵묵히 아침상을 다시 차리고 있었다.

이젠 두 사람 중 어느 쪽도 이 이상 그전과 같이 열렬한 감정으로 사랑할 수 없을 것 같아 보였다. 그들은 마치 타다 남은 재와 같았다.

클레어의 얼굴을 들여다보면서 곁으로 다가간 테스는 한때 가장 사랑하던 사람이 그런 표정으로 그 곳에 있다는 사실이 믿어지지 않아 그의 몸을 만져 보았다.

"저를 버리세요. 당신은 저를 버릴 수 있잖아요?"

"어떻게?"

"저와 이혼하시면 돼요."

"정말 놀랄 말만 하는군……. 당신은 어쩌면 그렇게 단순할까! 내가 어떻게 이혼할 수 있다는 거요?"

"이혼할 수 없으시다구요? 왜요? 전 당신에게 과거를 고백했어요."

"테스, 당신은 너무나도 어린애 같아. 철부지란 말이오! 법률이라는 것을 모르오?"

이 말을 들은 테스의 얼굴에는 슬픔이 뒤섞인 부끄러움이 번졌다.

"아아, 저는 당신이 틀림없이 저와 이혼할 수 있으리라 믿었어요. 그럴 수 없다면 어젯밤에 결단을 내렸을 텐데."

"뭘 하려고 생각했지?"

"제 목숨을 제 손으로 끊으려고 했었죠."

테스는 말을 이었다.

"제 옷상자를 묶은 끈으로 하려고 했죠. 하지만 전 그렇게 못했어요. 오히려 당신의 이름을 더럽히지나 않을까 해서 그만두었어요."

"자, 똑똑히 들어요, 테스. 그런 무서운 생각은 아예 해서는 안 돼요. 어떻게 당신이 그럴 수 있소? 이제 다시는 안 그런다고 이 남편한테 약속해요."

"그래요. 약속하겠어요."

테스는 침착하고 냉정하게 그를 바라보며 말했다.

"하지만, 그것은 모두 당신을 생각하며 한 일이에요. 저에게 처분을 내리실 수 있는 분은 오직 당신뿐이에요."

"그만해!"

"그만하라면 그만하겠어요. 당신에게 거역하려는 생각은 조금도 없어요, 에인젤."

테스는 다시 아침 식사 준비를 했다. 식사를 할 때에도 그들은 서로의 눈이 마주치지 않도록 같은 쪽으로 앉아 말없이 식사를 하였다.

식사가 끝나자 클레어는 물방앗간 일을 배운다는 이유로 집을 나가 버렸다. 테스는 문밖까지 그를 배웅하고 돌아와서 식탁을 치우며 실내 정돈을 했다. 얼마 뒤에 하녀가 왔다.

열두 시 반이 되자 테스는 이층 방으로 올라가서 창밖으로 어서 에인젤의 모습이 나타나기를 기다렸다. 한 시쯤 되어 그는 나타났고 그가 문을 들어설 때에는 점심 식사 준비가 완전히 되어 있었다.

"아주 시간을 잘 맞춰서 준비해 놓았군."

클레어가 식탁에 앉으며 차갑게 말했다.

"당신이 오는 것을 보고 있었어요."

테스가 대답했다.

한 시간쯤 뒤에 그는 다시 집을 나갔다가 저녁때에야 돌아와서는 밤이 되자 서류를 조사하는 일에 몰두했다. 테스는 혹시 방해가 될까 싶어 하녀가 돌아가고 난 부엌에서 한 시간이나 넘게 부엌일을 정리했다.

클레어의 모습이 문가에 나타났다.

"그렇게 일하지 말아요."

그는 다시 말했다.

"당신은 내 하인이 아니라 내 아내란 말이오."

테스는 얼굴을 들었다.

"정말 제가 그렇게 생각해도 될까요, 에인젤?"

"사실이 그렇지 않소, 테스? 아니, 그런데 왜 또 그런 말을 하지?"

"저도 모르겠어요."

테스는 참다 못해 그에게서 등을 돌리며 울음을 터뜨렸고 클레어는 잠자코 울음이 그치기를 기다렸다.

테스의 클레어에 대한 변함없는 사랑은 애처로울 정도였다.

그날 밤도, 그리고 그 다음 날 아침도 전날과 다름없이 지나갔다. 클레어가 세 번째 물방앗간으로 가려던 날 아침이었다.

"그럼 다녀오리다."

테스는 클레어와 함께 일어서며 자신의 입술을 그의 입술 쪽으로 가져갔다. 그러나 클레어는 얼른 얼굴을 옆으로 돌리며 말했다.

"당신도 짐작은 하겠지만, 현재 우리 관계는 형식적인 것뿐이오. 이 점은 당신도 이해해야 해."

"네."

테스는 정신이 빠진 듯이 대답했다.

집을 나서서 물방앗간으로 가는 도중에 클레어는 테스에게 좀더 다정하게 말하지 못한 것과, 한 번쯤은 입을 맞추어 주었어도 좋았을 것이라고 생각했다.

테스는 이제 그가 용서해 줄 것을 바라지도 않았다.

이런 상태로 여러 날이 계속되는 동안 두 사람은 기진맥진하게 되어

몸과 마음이 짓눌려 눈을 크게 뜰 힘조차 없게 되어 버렸다.

테스의 솔직한 마음은 사실 그가 몇 번이고 내쫓아도 다시 돌아오고 싶은 심정이었다. 테스는 그의 자신에 대한 사랑이 비현실적이라고 할 만큼 이상적인 것이었다는 것을 어렴풋이나마 알게 되었다.

이렇게 사흘째 되던 날이었다.

"당신이 한 말을 곰곰이 생각해 보았어요. 당신은 저한테서 떠나야 해요."

테스가 클레어에게 말했다.

"그렇지만 당신은 어떻게 하려구?"

"저는 친정으로 가면 돼요."

클레어는 미처 그것까지는 생각을 해 보지 않았다.

"괜찮을까?"

"물론, 괜찮아요. 우리는 헤어져야 하잖아요? 만일 제가 당신 곁에 있으면 당신의 이상이나 희망과는 반대되는 방향으로 당신의 계획을 바꿔 버릴지도 몰라요. 그렇게 된다면 나중에 당신의 후회나 저의 책임이 걷잡을 수 없을 정도로 클 거예요."

"그래서, 그래서 당신은 친정으로 돌아가겠다고 말한 거요?"

"전 당신하고 헤어져 돌아가고 싶어요."

"그렇다면 좋아요. 그렇게 하기로 하지."

테스는 남편의 얼굴을 쳐다보지 않았다. 그러나 그녀는 이렇게 쉽게 결말이 나리라고는 생각지 못했기 때문에 그 말에 흠칫 놀랐다.

"에인젤, 그렇더라도 저는 불평은 안 해요. 전 가겠어요……. 내일이라도 말이에요!"

"그렇다면 나도 여기 있을 필요가 없소. 이런 말을 내 입으로 하고 싶지는 않았지만, 역시 우리는 헤어지는 것이 현명한 방법일 것 같군······. 적어도 얼마 동안은 말이야."

테스는 창백해진 채로 가늘게 떨리고 있는 클레어의 얼굴을 살짝 훔쳐보았다. 그는 잠시 생각하다가 다시 말을 이었다.

"테스, 우리들은 아마도 세상 사람들이 모두 다 그런 것처럼 죽도록 고생만 하다가 훗날 다시 만나게 되는지도 모르겠군. 지칠 대로 지쳐서 같이 살게 될지도 말이야."

그 날 그들은 각자 자기의 짐을 꾸렸다.

그들 두 사람은 다음 날 아침에 서로 헤어져 자신의 길을 가면서, 그것으로써 모든 것이 끝나리라고 생각했다.

가짜 부부

프롬 분지의 깊은 밤은 소리 없이 찾아와서 고요히 지나갔다.

새벽 한 시가 조금 지나서, 옛날에는 더버빌 가문의 저택이었던 이 농가의 집 안에서 무엇인지 삐걱대는 소리가 났다.

테스는 그 소리에 잠에서 깨어났고, 자신의 침실 문이 열리는 것을 보았다. 그녀는 클레어가 셔츠와 바지만을 입고 눈은 허공을 향하여 고정시킨 채 조심스런 걸음으로 들어오는 것을 보았다.

남편은 방 한가운데 멈추어 서서 중얼거렸다.

"죽었구나······. 죽었어!"

테스는 그가 계속적인 정신적 고통으로 인해 지금 몽유병적인 증세를 보이고 있다는 것을 알았다.

그는 가까이 다가와 그녀 위에 몸을 구부리고 계속 중얼거렸다.

"죽었구나, 죽었구나, 죽었어!"

잠시 동안 물끄러미 그녀를 바라보고 있던 클레어는 그녀를 시트로 감싸 껴안는 것이었다. 그리고는 가볍게 그녀를 들어올려 안고 방을 나가면서도 계속 중얼거렸다.

"가엾은 테스! 귀엽고 그리운 테스! 착하고 훌륭한 테스! 오, 참으로 진실한 테스!"

테스가 얼마 전까지도 그에게서 들었던 말이었다. 그녀는 꼼짝도 않은 채 숨소리마저 죽이고는 남편이 자신을 어떻게 할 것인가를 생각하면서 조용히 안겨 있었다.

클레어는 조금도 흐트러짐 없이 계속 그녀를 안고 걸었다. 계단 위에서는 그녀의 입술에 키스를 해주었다. 그는 그녀를 안고 계단을 내려와 바깥으로 나갔다. 그는 테스를 안고 뜰을 지나 2,3백 미터 떨어진 강 쪽으로 걸어갔다. 편안하게 온몸을 그에게 맡기고 있는 그녀는 아직까지 그가 자신을 아내로 여기고 있다는 생각에 대단히 기뻤다.

클레어는 다리를 건너지 않고 그곳에서 가까운 물방앗간을 향해서 몇 걸음 걷다가 갑자기 강변에 이르러서는 걸음을 멈추었다. 거기에는 아주 비좁고 위험한 다리가 하나 있었다. 클레어는 그녀를 가슴에 안은 채 무사히 그 다리를 건너 수도원의 소유로 되어 있는 농원 속으로 들어갔다.

그는 수도원 성당으로 들어가 황폐한 성가대석이 있는 곳의 북쪽에 놓인 수도원장의 석관 안에 테스를 눕혔다. 그리고 나서 테스의 입술에 두 번째 키스를 한 다음, 자신도 그 옆에 조용히 누워 깊은 잠에 빠졌다.

테스는 잠시 후 관 속에서 몸을 일으켰다.

그날 밤은 계절에 비하여 건조하고 푸근했지만 이러한 곳에 얇은 옷을 입고 오래 누워 있는 것은 매우 위험한 일이었다. 클레어도 그대로 둔다면 얼어죽을지도 모르는 일이었다.

"우리 걸어가요, 여보!"

그리고 그의 팔을 잡고 조용히 걸었다. 클레어는 별로 저항도 하지 않고 순순히 따라왔다. 아마도 그는 테스의 말을 꿈속으로 알아들었던 모양이다. 이렇게 하여 테스는 그를 집으로 데려와서 침대에 눕히고는 따뜻한 이불을 덮어 주고 습기를 말릴 생각으로 난로에 불을 지폈다.

다음 날, 테스는 그가 간밤의 일을 전혀 모르고 있다는 것을 알 수 있었다. 클레어는 더 이상 주저하지 않고 그녀와 헤어지려는 결심을 했다.

아침 식사를 마치고 몇 가지의 짐을 꾸릴 때 그는 피곤한 듯이 보였다. 테스는 그의 피로가 간밤의 행동에서 온 것임을 알기 때문에 하마터면 그에게 지난밤의 얘기를 말할 뻔했다.

곧이어 주문한 마차가 도착했다. 짐을 마차 지붕에 실은 마부는 두 사람을 태우고 마차를 몰았다.

클레어는 크릭 씨와 업무상 정리해야 할 일이 있었다. 테스도 자신의 불행이 알려지는 것을 바라지 않았기 때문에 우선 낙농장으로 마차를 몰았다.

낙농장 주인은 익살맞은 웃음으로 그들을 맞았고, 그 뒤로 크릭 부인과 몇몇의 낯익은 사람들이 있었다.

클레어와 테스는 그들 앞에서는 부부처럼 행동했다. 테스는 마리안과 레티를 찾았으나 보이지 않았다. 레티는 집으로 돌아가고 마리안은 다른 곳으로 일자리를 찾으러 갔다고 한다. 테스와 클레어는 서로를 아끼고 사랑하듯 다정한 모습으로 정들었던 사람들에게 작별 인사를 했다.

그러나 누구라도 그들을 자세히 살펴보았다면 어딘지 모르게 슬픔이 깃들여 있다는 것을 알아차릴 수 있었을 것이다.

낙농장을 떠나 여인숙에 도착한 클레어와 테스는 그 곳에서 잠시 쉬고 두 사람의 관계를 모르는 마부를 고용하여 테스의 고향으로 갔다.

이윽고 나즐베리를 지나 네거리까지 온 클레어는 테스에게 그 곳에서 헤어지자고 말했다. 클레어가 말했다.

"테스, 우리 증오하지 말고 서로를 이해하기로 해요. 그리고 내가 먼저 당신에게 소식을 전하겠소. 내가 찾을 때까지 나를 기다리는 것이 좋을 거예요."

테스에게는 이 선고가 무섭고도 혹독했다. 그녀는 그가 자기를 비굴한 사기꾼으로 보고 있다는 것을 잘 알고 있었다.

"편지는 해도 괜찮을까요?"

"그래요. 몸이 불편하다든가 무슨 급한 일이 생겼을 때는 편지를 보내도 좋아."

"알겠어요. 다만 에인젤, 이 벌이 너무 오래 가지 않았으면 좋겠어요."

클레어는 은행에서 미리 찾은 상당한 액수의 돈 꾸러미를 테스에게 주고 결혼 예물들은 자기가 직접 은행에 맡기겠다고 말했다. 테스는 동의했다. 이러한 실제적인 문제들이 모두 해결되자 테스는 자기 고향으로 향했다.

마차는 언덕길을 올라갔다. 클레어는 사라지는 마차를 물끄러미 바라보며 테스가 잠깐만이라도 창문 밖으로 얼굴을 보여주길 바랐다. 그러나 테스는 그럴 만한 기운도 없었으며 마음의 안정을 잃고 있었다. 그녀는 다만 마차 안에 반은 죽은 사람처럼 정신을 잃고 엎드려 있었다.

또다시 집을 떠나는 테스

마차가 블랙무어 골짜기를 달려가는 동안 테스는 소녀 시절의 눈에 익었던 풍경들을 바라보며 정신을 가다듬었다.

고향 마을로 들어가는 어귀의 징수문에는 테스와 안면이 있던 노인이 한 분 있었는데, 이제 그 노인은 없고 낯선 남자가 문을 열어 주었다. 테스는 근래에 전혀 들을 수 없었던 고향 소식을 그 문지기에게 물었다.

"뭐 별로 달라진 것이 없다우, 아가씨. 누가 죽었다거나 그런 얘기들만이 오가죠. 더비필드네가 자기 딸을 얼마 전에 어느 농장 주인에게 시집보냈다고 하더군요. 그런데 어디 다른 고장에서 잔치를 치렀대요. 하여튼 그 사위 되는 사람은 꽤 좋은 가문의 아들인가 본데, 그래서 그는 그 잔치에도 못 갔대요. 하지만 결혼식 날에는 재산을 털다시피 해서 마을 사람들에게 한턱을 냈고 그의 아내도 주막에서 한 시가 넘도록 노래를 불렀다더군요."

이 말을 들은 테스는 가슴이 미어지는 것만 같았다.

짐을 버젓이 들고 집으로 들어갈 엄두가 나질 않아 그 노인에게 맡겨 놓고 마차를 돌려보낸 뒤 마을로 걸어 들어갔다. 마당으로 들어섰을 때, 그녀의 어머니는 이불잇을 걷어 가지고 막 안으로 들어가고 있었다.

"테스가 아니냐! 넌 결혼한 줄만 알았는데, 그래서 능금주를 보내지 않았니?"

"네, 어머니 결혼했어요. 능금주도 받았구요."

"결혼은 했다고?"

"그럼 네 신랑은 어디 있니?"

"그이는 잠깐 어딜 다니러 갔어요."

"다니러 갔어? 그럼 언제 결혼했니, 네가 결혼한다던 그 날 했니?"

"네, 화요일에요, 어머니."

테스는 급기야 어머니 품에 얼굴을 묻으며 울음을 터뜨렸다.

"어떻게 해야 좋을지 모르겠어요. 그 일을 고백했더니 그이가 가 버

렸어요."

"어쩌면 좋으냐! 이 바보야!"

그녀의 어머니는 어쩔 줄을 모르면서 그녀에게 물을 뿌렸다.

"이 바보야. 내 평생 너한테 이런 말을 하다니……. 하지만 한번 더 말해야겠다. 이 바보 천치야!"

테스는 긴장되었던 마음이 풀어지면서 실컷 울었다.

"알아요, 저도 알아요. 어머니, 그렇지만 전 어쩔 수가 없었어요. 그 이가 너무나 다정스럽게 대해 주었기 때문에……."

"그래, 어쩌겠니 할 수 없지. 이미 엎질러진 물을 다시 주워 담을 수야 없는 노릇이니까. 하지만 쓸데없이 이쪽에서 먼저 고백할 필요는 없잖아."

이제 어머니는 딸이 가엾어 울기 시작했다.

"아버지에겐 뭐라고 말하지? 네 아버지는 날마다 주막에서 테스 덕분에 우리도 예전의 명예를 찾을 수 있다고 자랑하고 있단 말이다. 참으로 어리석은 양반!"

그 때, 그녀의 아버지가 돌아왔다.

어머니는 자신이 직접 얘기할 테니 잠시 자리를 피해 있으라고 말했다. 어머니는 아버지에게 테스가 돌아온 경위를 대충 설명해 주었다. 테스는 고향집에 잠시 동안만 머무르기로 결심했다.

며칠 후 클레어한테서 영국 북부에 있는 어떤 농장을 보러 가 있다는 짤막한 편지가 왔다. 테스는 두 사람의 결혼이 완전히 끝난 것을 부모에게 알리고 싶지 않아, 그 편지를 구실 삼아 남편에게 가는 것처럼 집을 떠나기로 작정했다.

거 짓 말

결혼식을 올린 지 삼 주일 후, 클레어는 아버지의 목사관으로 가는 낯익은 언덕길을 내려가고 있었다.

그를 알아보는 사람은 아무도 없었다. 그의 마음은 많이 가라앉았으나 테스를 너무 괴롭힌 것 때문에 불안했다.

그는 어느 조그마한 읍에서 브라질 이민에 관련된 광고를 보았다. 그 광고를 본 후 브라질에 가고 싶다는 강한 충동을 느꼈고, 그래서 그는 그 계획을 의논하기 위해 부모들이 있는 에민스터에 돌아온 것이다.

테스를 데려오지 못한 구실로도 이것은 안성맞춤이었다. 에인젤은 방으로 들어가서 조용히 문을 닫았다.

"에인젤! 네가 웬일이니? 네 아내는 어디 있고?"

그의 어머니가 놀라서 물었다.

"어머니, 브라질에 가기로 결정했기 때문에 급하게 왔어요. 아내는 잠시 동안 친정에 가 있기로 했어요."

"브라질에 간다고? 결혼식을 올렸다는 네 편지는 삼 주일 전에 받았지. 아버지와 의논한 끝에 네 결혼식에는 가보지 않기로 결정했지만 그래도 난 결혼 전에 네 신부를 보고 싶었단다. 그런데 넌 이번에도 신부를 데려오지 않았구나."

"브라질에 가겠다고 결정한 것은 최근의 일이에요. 만일 가게 된다고 해도 첫 여행부터 아내를 데리고 간다는 것이 좋지 않을 것 같아서 잠시 동안 친정에 가 있도록 한 거예요."

아버지는 어머니처럼 많은 것을 물어보지 않았다. 저녁 식사 때 아버지는 에인젤을 위해 성경 한 구절을 읽어 주었고 기도도 해 주었다.

에인젤은 눈앞이 흐려졌다. 그는 급히 안녕히 주무시라는 인사를 하고 방으로 들어왔다. 잠시 후 어머니가 근심스러운 얼굴로 그의 방문 앞에 서 있었다.

"에인젤, 무슨 일이 있었지?"

"그래요, 어머니."

그는 대답했다.

"아내 때문이지? 결혼한 지 삼 주도 못 돼서 싸움이라도 한 거니?"

"싸운 것은 아녜요, 어머니. 단지 의견이 좀 맞지 않았을 뿐입니다."

"에인젤, 그 아가씨 과거에 무슨 문제라도 있었니?"

"아니요, 그런 문제는 없어요."

그는 거짓말을 했다. 그것 때문에 지옥으로 떨어진다 해도 그렇게밖에 말할 수 없었다.

이날 밤, 테스는 자신의 남편이 얼마나 착하고 훌륭한 사람인가 하는 생각을 하고 있었다.

사랑의 확인

다음 날, 날이 밝자 클레어는 은행에 예금해 두었던 돈을 모조리 찾아 필요한 곳에 모두 지출했다. 그리고 그 날로 목사관을 떠났다.

클레어는 영국을 떠나기 전에 웰브리지의 농가를 마지막으로 방문했다. 자신의 생에서 가장 어두운 그림자는 바로 그 농가의 지붕 아래에 서였다.

그가 찾아갔을 때 주인집 부부는 밖에 나가고 없었다. 잠시 후 아래층에서 인기척이 들렸다. 뜻밖에도 이즈 휴에트가 거기 서 있었다. 클레어는 그녀가 테스만큼이나 훌륭한 아가씨라는 것을 알고 있었다.

이즈는 클레어를 보고 말했다.

"클레어 씨, 전 두 분을 보고 싶어서 왔어요."

"난 지금 혼자 있어요. 우리는 지금 여기에 살고 있지 않습니다."

그는 여기에 온 이유를 설명하고 이즈에게 물었다.

"그런데 이즈, 집은 어느 길로 해서 가지요?"

"저는 지금 톨버세이스에 있지 않아요."

"그럼?"

이즈는 자기가 갈 방향을 가리켰다.

"좋다면 제가 바래다 드리지요."

이즈의 얼굴에 기쁨의 미소가 번졌다.

잠시 후, 클레어는 농가의 수인을 만나 방세와 열쇠를 주고 짐을 마차에 실은 후 이즈와 함께 그 곳을 떠났다.

"나는 영국을 떠나 브라질로 갈 거예요."

마차를 몰며 그가 말했다.

". 함께 가나요?"

더

"그 사람은 함께 가지 않아요. 일 년 동안 떨어져 있게 될 겁니다."

그들은 한참 동안 말이 없었다.

"왜 그렇게 기운이 없지요?"

이즈의 까만 눈동자가 대답 대신 그를 빤히 들여다보았다.

"이즈, 당신은 정말 마음이 여리오. 그게 모두 나 때문이라니……."

클레어는 마치 꿈꾸듯 말했다.

"만일 그 때 내가 당신에게 결혼하자고 했더라면 어떻게 했겠소?"

"그런 일이 있었다면, 전 '네' 하고 대답했을 거예요."

"정말 그랬을까?"

"정말이에요!"

이윽고 두 사람은 갈림길에 이르렀다.

"저는 내려야겠어요. 저기에 사니까요."

클레어는 말의 걸음을 늦추었다.

"혼자 브라질에 가는 것은 개인적인 사정이 있어서입니다. 나는 아마
도 그 사람과 살지 않을 겁니다. 이즈, 나와 함께 브라질에 갈 생각은
없소?"

"진정 저하고 함께 가기를 원하시는 거예요?"

"물론이오. 당신은 아무런 가식 없이 나를 사랑해 줄 수 있겠소?"

"네, 물론이에요. 가겠어요."

"그렇다면 내리지 말고 그대로 앉아 있어요."

클레어는 그대로 앞만 쳐다본 채로 마차를 몰았다.

"당신, 정말로 나를 사랑해요?"

클레어가 물었다.

"네!"

"테스보다 더?"

이즈는 조용히 머리를 흔들었다.

"테스하고는 비교가 못 돼요."

"그건 왜지?"

"이 세상에서 테스보다 당신을 사랑하는 여자는 없을 거예요. 테스는 당신을 위해서라면 목숨까지도 버릴 거예요. 전 그렇게까지는 할 수 없어요."

클레어의 귓속에서는 이즈의 말이 메아리치고 있었다. 이윽고 그는 조용히 말했다.

"이즈, 도대체 내가 지금까지 무슨 이야기를 했는지 모르겠군. 아까 한 얘기는 잊어버려요. 당신이 살고 있는 곳까지 데려다 주겠소."

조금 전에 지나왔던 오솔길 모퉁이까지 되돌아오자 이즈가 마차에서 뛰어내렸다.

"이즈……. 제발, 내 한때의 경솔했던 말을 용서하고 잊어버려 줘요."

"그래요, 잊어버리죠. 용서해 드릴게요."

"그럼 잘 가요, 이즈."

클레어는 마차를 몰고 떠났다.

그러나 이즈는 오솔길 모퉁이에서 클레어의 마차가 보이지 않게 되자, 그만 슬픔이 복받쳐서 둑 위에 쓰러지고 말았다.

고생의 연속

클레어와 테스가 헤어진 지 어느덧 팔 개월이 지났다. 클레어는 그녀에게 충분한 돈을 주었지만 그녀의 지갑은 이제 바닥이 나기 시작했다.

테스는 고향을 떠난 뒤 그다지 고생하지 않고 지낼 수가 있었다. 그녀는 블랙무어 근처의 브레디 낙농장에서 날품팔이 일을 하면서 지내왔다. 그녀는 주소만을 어머니에게 알렸다. 그녀의 돈이 거의 다 떨어져 갈 때쯤 어머니에게서 돈을 좀 보내달라는 한 통의 편지가 왔다. 테스는 있는 돈을 모두 보냈다. 테스의 수중에는 단 일 파운드도 남아 있지 않았다.

테스의 가족들은 그녀가 머지않아 남편과 행복하게 살아가리라 기대했고, 그녀 또한 가족들의 믿음을 깨고 싶지 않았다.

한편, 그 무렵에 클레어는 브라질의 쿠리티바 진흙땅에서 열병으로 병상에 누워, 테스 못지않은 시련을 겪고 있었다.

테스는 이제 더 이상 머물고 있던 낙농장에서 할 일이 없었다. 그리하여 마리안의 편지로 소개받은 어느 고지의 농장을 찾아가기로 마음먹었다.

새로운 농장으로 가는 길은 멀고 단조롭기만 했다. 그리고 해가 빨리 져서 어느덧 어둠이 깃들기 시작했다. 바로 그 때 테스의 등뒤에서 발소리가 들렸고 어떤 남자가 테스의 곁으로 왔다.

"예쁜 아가씨, 안녕하시오?"

그 남자는 테스를 뚫어지게 쳐다보았다.

"아니, 당신은 한동안 트랜트리지에 살던 처녀가 아니오? 더버빌 가문의 서방님이 좋아하던? 난 요즘 그 곳에 있진 않지만."

그녀는 아픈 곳을 찔린 듯한 고통을 받았다. 그 남자는 언젠가 여관에서 테스에게 모욕적인 말을 하고 에인젤에게 얻어맞은 농부였다.

"아가씨, 그렇죠? 사실 그때 내가 피하기는 했지만 내 말이 맞는 말이었지요. 그 사람에게 맞았던 것에 대해 대신 당신에게서 사과를 받아야겠군."

테스는 갑자기 그로부터 도망치기 시작했다.

한참을 달린 뒤 나무 그늘 아래로 들어가서 가랑잎들을 긁어모아 푹

신한 보금자리를 만들어 그 속에서 하룻밤을 잤다.

다음 날, 날이 밝기 시작하여 숲 속에서도 상쾌한 아침이 찾아오고 대지가 활기를 띠기 시작하자, 그녀는 가랑잎 더미 속에서 기어나왔다.

희 망

테스는 조심스럽게 한길로 나와 걷기 시작했다. 그녀는 초크 뉴턴이라는 곳에 이르러 아침을 먹었다.

몇몇의 젊은이들이 테스를 넋놓고 바라보았지만, 그녀는 아랑곳하지 않고 곧 마을을 빠져 나와 숲으로 들어가 가장 낡은 옷으로 갈아입었다. 그녀는 손수건을 꺼내어 턱과 뺨을 이가 아픈 사람처럼 가렸다. 그리고는 손거울을 보면서 눈썹을 사정없이 잘라 버렸다. 그녀는 다시 걷기 시작했다.

"정말 별스런 처녀도 다 보겠군."

테스와 마주친 한 남자가 그의 친구에게 말했다. 이 말을 들은 테스의 눈에는 눈물이 흘렀다.

그녀의 모습은 순박한 농사꾼 그대로였다.

그러나 그녀의 가슴속에는 너무 일찍 깨달은 인생의 허무함과 욕망 때문에 생긴 불완전한 사랑에 대한 불신이 선명하게 새겨져 있었다.

다음 날은 날씨가 나빴지만, 테스는 마리안이 일하는 곳을 찾아 무거운 발걸음을 옮기고 있었다. 이틀째 되는 날 테스는 높은 산언덕에 도착했다. 바로 앞 나직한 곳에 조그맣고 어설픈 마을이 보였다.

결국 그녀는 마리안이 머물고 있는 플린트콤애쉬에 온 것이었다. 길 저편에서 마리안이 걸어오고 있었다.

마리안은 전보다도 더 건강해 보였다. 입고 있는 옷은 남루했지만 표정은 매우 밝고 명랑했다. 두 사람은 서로 손을 맞잡았다.

마리안은 테스의 모습을 보고 매우 놀랐지만 조심스럽게 이것저것 물어보았다.

"테스, 아니 클레어 부인이라고 불러야 하나! 얼굴은 왜 그렇게 싸맸어? 누구한테 맞기라도 했어?"

그녀는 아무 대꾸도 하지 않고 매고 있던 수건을 귀찮은 듯이 풀어 버렸다.

마리안이 말했다.

"테스, 난 너에겐 아무 잘못이 없다고 생각해. 그리고 그 사람도 그렇고. 두 사람 사이에 무슨 일이라도 있었던 거니?"

"마리안, 아무것도 묻지 말아 줘! 다만, 얼마 동안만 나를 좀 도와줘! 일거리는 있지?"

"내가 이런 말하는 게 좀 그렇지만, 테스 네가 여길 다 오다니……."

"할 수 없는 일이지, 뭐."

두 사람은 얼마 동안 걸어서 농장 주인집에 왔다. 그 곳은 어디를 둘러보아도 한 그루의 나무도 없는 허전하고 적적한 농가였다.

그날 밤 테스는 남편에게서 편지가 올 경우를 대비해 부모 앞으로 편지를 썼다. 그러나 자기의 비참한 생활은 결코 알리지 않았다.

힘든 하루하루

그녀와 마리안은 제일 높은 곳에 위치한, 40만 평방미터 남짓한 순무밭에서 일했다. 이미 순무의 위쪽 부분은 가축들이 다 먹어 치웠기 때문에, 땅 속에 묻힌 나머지만을 캐내어 가축들이 먹을 수 있게 하는 것이었다.

그녀들은 거칠고 깔깔한 삼베로 만든 겉옷을 입고 장화를 신었으며 손에는 손목까지 오는 기다란 노란 염소 가죽장갑을 끼었다.

오후가 되자 비가 왔다. 마리안은 그만 하자고 했으나, 일을 하지 않으면 돈을 못 받으므로 테스는 비를 맞으며 계속 일을 했다.

아침에는 서리를 맞으며, 그리고 오후에는 비를 맞으며 테스는 마치 노예처럼 일했고, 순무를 캐지 않을 때에는 순무를 손질하여 저장하는 일을 했다.

마리안은 일하면서 간간이 술을 마셨다. 테스에게도 권했으나 테스는 사양했다.

어느 날, 마리안이 테스에게 말했다.

"이즈에게 이 곳으로 오라고 편지를 하겠어. 지금 하는 일이 없으니까 아마 올 거야."

　테스는 반대하지 않았고, 그로부터 며칠 뒤 이즈에게서 오겠다는 답
장이 왔다.

　이제 그 곳에도 한기가 몰려들기 시작했다. 곧 눈이 올 징조였다. 그
날 밤부터 눈이 내리기 시작했다.

　테스와 마리안은 가장 두툼한 수건을 쓰고 털목도리를 목에 감고는
밀이 쌓여 있는 헛간으로 들어갔다. 그 헛간 한구석에는 밀이 가득 차
있었고, 이삭훑기가 한창이었다.

　"어머나, 이즈야! 이즈가 왔어!"

　정말 이즈가 와 있었다. 이즈는 농장 주인과 그녀의 어머니가 장터에
서 만나 이미 자기를 써 주기로 약속이 됐다고 말했다.

　테스와 마리안과 이즈 이외에도 가까운 마을에서 온 두 여자가 있었
다. 두 여자는 남자들이 하는 일도 해치우는 지칠 줄 모르는 여자들이

었다. 밀 이삭을 훑는 일도 제법 솜씨가 있었기 때문에 약간 거만한 태도로 세 사람을 바라보곤 했다.

그들은 모두 장갑을 끼고 밀 이삭을 훑는 기계 앞으로 와 한 줄로 늘어서서 일을 하기 시작하였다. 얼마 지나지 않아 농장 주인이 말을 타고 왔다. 그는 말에서 내려 일하고 있는 테스 곁으로 와 우두커니 서서 계속 그녀를 살펴보고 있었다.

테스는 그가 너무 오래 그녀 곁에 서 있었으므로, 고개를 들어 그를 바라보았다. 그러자 그녀는 곧 그가 지난날 여인숙에서 자신을 알아보고 말을 건넸다가 에인젤에게 맞은 남자라는 것을 알게 되었다. 며칠 전에도 한길에서 그를 만나 테스가 도망을 쳤던, 바로 그 트랜트리지의 사람이라는 것을 알았다.

"응, 역시 당신은 내 친절을 무시하고 도망쳤던 그 아가씨였군. 날 두 번씩이나 골탕을 먹였으니 이번에는 내가 당신을 골탕먹일 차례요."

주인은 이렇게 말했다.

테스는 아무런 대꾸도 하지 않고 말없이 밀 짚단을 잡아당기고 있었다. 그녀는 오히려 남자들이 그렇게 대해 주는 것이 마음 편했다.

"당신은 나한테 잘못했다고 빌 생각이 전혀 없나 보지?"

"빌 사람은 내가 아니라 바로 당신이에요."

"뭐라구? 좋아. 오늘 당신이 일한 짚단은 이것뿐인가?"

"네."

"이게 전부야? 다른 사람들은 더 많이 했는데."

"전, 처음이니까요. 당신은 제가 일한 만큼만 돈을 주면 되잖아요?"

"아, 난 곳간을 빨리 치워 버리고 싶거든."

"두 시에 다들 끝나는 모양이지만 전 오후 내내 일하겠어요."

주인은 그리 좋지 않은 표정으로 나갔다.

테스는 앞으로 당해야 할 험한 일들이 두렵기도 했으나 추근대는 것보다는 낫다고 생각했다.

두 시가 되자, 솜씨가 좋은 두 여인은 마지막 한 단을 묶고는 나가 버렸다. 그러나 이즈와 마리안은 계속 남아서 테스의 일을 도와주었다.

얼마 뒤 테스가 갑자기 밀 이삭 더미 위에 털썩 주저앉아 버렸다.

"테스가 이 일을 해낸다는 것은 어려워."

마리안이 말했다. 그 때 주인이 들어와서 테스가 앉아 있는 모습을 보고 소리쳤다.

"벌써 이 꼴이군."

"손해 보는 것은 나뿐이에요."

"그렇지만 나는 빨리 해치우고 싶단 말이야."

주인은 반대쪽 문으로 나가며 소리쳤다.

"저 사람의 말에 마음이 상해서는 안 돼, 테스."

마리안이 말했다.

"자, 테스, 넌 저기 가서 좀 누워 있어. 이즈하고 내가 네 몫을 해 놓을 테니까."

"미안해. 난 너희들보다도 키가 큰데 항상 이 꼴이구나."

테스는 상당히 기진맥진해 있었지만, 얼마가 지난 뒤 다시 일어나 일을 시작하였다.

이번에는 이즈 휴에트가 지쳐 버렸다.

전날 밤 먼길을 걸어 이 곳에 도착했고 아침 일찍 일어나야만 했기 때문이었다. 마리안 혼자만 술과 건강한 몸 덕분으로 견디고 있었다.

테스는 이즈에게 가서 쉬라고 권했다.

이즈가 자기 숙소 쪽으로 사라져 버리자, 마리안은 이즈가 한 얘기를 모두 테스에게 해 주었다. 클레어와 이즈가 함께 마차를 타고 가면서

나눈 대화에다가 이즈가 살까지 덧붙인 이야기였다.

두 사람은 말없이 밀 이삭을 훑었다. 그러다가 갑자기 테스가 울음을 터뜨렸다.

"테스, 역시 내가 말하지 말 걸 그랬나봐. 이즈도 말하지 말라고 그랬는데."

"아냐, 마리안. 말해 줘서 고마워! 지금까지는 그 사람이 하는 대로 내버려두었지만, 역시 편지를 자주 했어야 했나 봐. 모든 것이 다 내가 소홀했던 탓이야."

다시 만난 알렉 더버빌

클레어는 힘들면 시부모에게 도움을 청하라고 했지만 테스는 어떻게 해서든 자기 힘으로 살아가겠다고 결심하고 있었다. 그러나 이즈의 말을 듣고는 가슴이 찢겨나가는 것처럼 괴로웠다.

'남편은 왜 편지를 하지 않는 것일까?'

적어도 주소만은 알려 줄 수 있지 않을까? 이제 남편은 자신을 잊은 것일까? 시부모가 있는 목사관으로 찾아가서 남편으로부터 소식이 없기 때문에 슬프다고 호소해 볼까?

테스는 여러 가지 생각을 해 보았다. 그로부터 두 주일이 지났다. 눈이 멎은 어느 일요일 아침 테스는 목사관으로 출발했다.

그 날 정오쯤 테스는 목사관에 도착했다. 그녀는 애써 용기를 내어 회전식 문을 열고 들어가 현관의 벨을 눌렀다.

그 날이 일요일이어서 모두 교회에 간 것이 틀림없었다. 그녀가 교회 앞을 막 지나고 있을 때, 교회에서 사람들이 밀려 나와 그녀는 사람들 속에 휩쓸렸다.

테스는 빠른 걸음으로 앞서 왔던 길을 되돌아가고 있었다. 젊은 두 남자가 무엇인가를 열심히 토론하면서 테스의 뒤를 빠른 걸음으로 따라오고 있었다. 테스는 곧 그들 가운데서 자기 남편의 목소리와 비슷한 음성을 들었다. 그들은 클레어의 두 형들이었다.

남편의 두 형들이 바로 테스 등뒤로 따라오고 있었고, 테스도 그들의 이야기를 모두 알아들을 수 있을 만큼 가까워 졌을 때, 한 여자가 나타났다. 두 형들 중 한 사람이 말했다.

"머시 챈트 양이었군, 어서 가 보세."

테스는 그녀를 알고 있었다. 머시 챈트 양은 두 집안의 부모들 사이에서 에인젤의 아내로 정해진 사람이었다.

두 젊은 형제 중 하나가 말했다.

"정말 에인젤은 가여워. 머시 챈트 양을 볼 때마다 젖 짜는 여자한테 반해서 결혼해 버린 에인젤이 못마땅해. 지난번에 온 에인젤의 편지를 보니, 그 결혼은 이상하게 되어 버린 모양이야. 이젠 같이 살지도 않는 모양이더군."

"나도 모르겠어. 그 분별 없는 행동으로 우리 사이까지도 이젠 서먹서먹해졌으니까."

두 형제는 머시 챈트와 나란히 걸어갔다. 테스는 다시 걷기 시작했지만 지금 이 상태로는 목사관으로 갈 수 없을 것 같았다. 되돌아서 걷고 있는 테스의 눈에서는 쉴 새 없이 눈물이 흘러내렸다.

테스가 어느 마을 앞에 이르렀을 때 그 마을 한가운데서 사람의 목소리가 들려왔다. 그녀는 가까이 가서야 설교자의 말소리를 알아들을 수 있었다.

그 설교자는 자기가 세상에서 가장 죄 많은 사람이라고 말했다. 세상을 조롱하고 방탕한 생활을 했으며 밤거리의 사람들과 생활했기 때문이라는 것이다. 그렇지만 그는 어느 목사의 덕으로 회개하게 되었고, 마침내 하느님의 은혜를 받아 지금 여러분들 앞에 서 있게 된 것이라고 말했다.

그는 틀림없는 알렉 더버빌이었다. 테스는 좀더 가까이 다가가 청중들을 살펴보았다. 테스의 눈은 알렉 더버빌에게 쏠렸고, 오후 세 시의 햇살이 똑바로 그의 머리 위에 내리비치고 있었다.

회 개

테스는 트랜트리지를 떠난 뒤부터 지금까지 더버빌을 만난 적이 없었고 소식을 들은 적도 없었다.

지금 이 곳에서는 더버빌이 분명하게 지난날을 후회하고 서 있는데도 테스는 움직일 수조차 없을 정도로 몸이 굳어 있었다.

다시 보아도 잘생긴 얼굴이지만, 테스는 역시 불쾌했다. 그는 콧수염을 없애고 목사의 모습으로 격식을 갖추고 있었다. 그는 표정까지도 변해 있었기 때문에 테스는 이제 그 남자가 더버빌이라고 믿기 어려울 정도였다.

테스가 그 자리를 떠나려는 순간 그가 그녀를 보았다. 더버빌도 충격을 받은 듯 입술도 제대로 움직이지 못하는 것 같았다.

테스는 되도록 빠른 걸음으로 그 곳을 빠져 나왔다. 언덕을 올라가는 동안 테스는 뒤에서 그가 쫓아오는 것 같은 느낌을 받았다.

테스는 피할 수도 없고 해서 그냥 따라오도록 내버려두었다.

"테스! 나요……. 알렉 더버빌이오."

테스는 걸음만을 늦추었을 뿐 돌아보지 않았다.

"테스!"

그가 다시 부르자 테스는 돌아다보았다. 그가 가까이 다가왔다.

"알고 있어요."

테스는 쌀쌀맞게 대꾸했다.

"테스, 내가 왜 쫓아왔는지 당신은 이상하게 생각하겠지?"

"네, 그래요. 전 당신이 쫓아오지 않았으면 했어요. 정말이에요."

"그렇게 말하는 것도 무리는 아니지."

두 사람은 나란히 걸어갔지만 테스에게는 내키지 않는 일이었다.

그들은 마침내 황량하고 쓸쓸한 크로스인핸드라고 불리는 삭막한 고지에 다다랐다.

"나는 당신하고 여기에서 헤어져야겠소. 그런데 당신 참 말이 유창해졌군. 어떻게 그렇게 되었지?"

"고생하는 동안에 많은 것을 배웠어요."

테스는 말끝을 흐리면서 대답했다.

"어떤 고생을?"

테스는 그와 그 일이 있은 후 겪어야 했던 마음의 상처와 여러 농장을 전전하며 어렵게 생활했던 일들을 그에게 들려주었다.

"나는 여태껏 그런 줄도 모르고 있었소."

더버빌은 할 말을 잃어버린 듯 작게 중얼거렸다.

테스가 플린트콤애쉬에 닿았을 무렵에는 이미 사방이 어둑어둑해져 있었다. 테스는 여행에 대한 얘기를 이즈에게 자세히 말하지 않았다. 눈치를 챈 이즈는 자기의 남자 친구 얘기를 했다.

목 사

여행에서 절망만을 안고 돌아온 지 며칠이 지났다. 일에 온통 정신을 쏠고 있던 테스 곁으로 목사 옷차림을 한 옛날의 난봉꾼 알렉 더버빌이 다가왔다.

더버빌은 가까이 다가와서 조용히 말을 이었다.

"당신에게 할 얘기가 있소, 테스."

"말하세요."

"당신의 생활에 대해 물어보는 걸 깜박 잊었소. 그런데 당신의 처지가 말이 아니라는 것을 알게 되었소. 그 모든 것이 내 책임이오."

그는 진지한 목소리로 말했다. 그러나 테스는 아무 대답도 하지 않고 순무의 털만 다듬고 있었다.

"테스, 내가 이제까지 저지른 일들 중에서 당신에게 저지른 일이 가장 나쁜 일이었소. 난 당신이 이렇게 될 줄은 상상도 하지 못했소."

테스는 잠자코 앉아서 규칙적으로 동그란 무 뿌리의 잔털을 깎고만 있었다.

"테스, 당신이 트랜트리지를 떠난 뒤에 어머님이 세상을 떠나시고 그 집은 내 것이 되었소. 나는 그 집을 팔아 아프리카로 가서 선교 사업에 일생을 바칠 것을 생각하고 있소. 테스, 나와 함께 그 곳으로 갈 생각은 없소?"

그는 호주머니에서 한 장의 양피지를 꺼냈다.

"그건 뭐예요?"

테스가 물었다.

"결혼 허가증이오."

"뭐라구요? 아아, 그건 안 돼요!"

"안 된다구! 어째서지?"

더버빌의 얼굴에는 테스에 대한 옛날 감정이 되살아나고 있었다.

"왜, 왜 안 된다는 거지?"

그는 반복해서 물었다.

"당신도 아시겠지만, 전 당신에게는 조금도 애정을 못 느껴요."

"하지만 당신이 날 용서해 줄 수만 있게 된다면 애정을 느끼게 되지 않을까?"

"아녜요, 알렉. 전 다른 사람을 사랑하고 있어요."

"좀더 자세하게 말해 봐요."

그는 흥분하여 소리쳤다.

"그럼, 말할게요. 전 이미 결혼했어요."

"아!"

더버빌은 부르짖었다.

그는 걸음을 멈추고 테스를 물끄러미 바라보았다.

"하지만 우리는 이미 남남이에요."

"남남이라구?"

그러고 나서 더버빌은 땅바닥을 바라보며 다시 중얼거렸다.

"결혼, 결혼을 했다. 그래, 그렇게 되었군."

알렉은 결혼 허가증을 천천히 두 조각으로 찢어 호주머니에 넣었다.

"그렇다면 테스, 나는 당신 남편이 어떤 사람인지 모르지만, 그를 위해 좋은 일을 해 주고 싶소. 그 남편은 지금 이 농장에 있소?"

"아뇨, 먼 곳에 갔어요."

테스는 고개를 숙이고 조그맣게 말했다.

"아아, 이렇게 된 것도 따지고 보면 모두 당신 탓이에요. 그 사람이 그 사실을 알고서……."

"음, 그랬었군, 테스. 그렇지만 당신을 남겨 두고 가다니?"

"제가 원해서 일을 하고 있는 것이지 결코 그 사람이 시킨 것은 아녜요. 그 사람은 아무것도 몰라요."

알렉은 충동에 못 이겨 갑자기 테스의 장갑 낀 손가락을 꽉 잡았다.

"안 돼요, 안 돼요!"

테스는 그에게서 손을 빼며 외쳤다.

"제발 알렉, 가 주세요. 저와 저의 남편을 위해서 말이에요."

"좋아요, 가겠소."

그 후 테스는 고되고 심한 노동으로 하루하루를 보냈다. 이윽고 농부들에게는 가장 소중한 장날인 성촉절이 다가왔다.

테스가 점심을 채 끝내기도 전에, 하숙집에 더버빌의 검은 그림자가 나타났다. 테스가 자리에서 일어났을 때, 그는 이미 방문 앞에 서 있었다. 그녀는 열어 주지 않으려고 했지만 숨는 것도 어리석은 일 같아 문고리를 벗기고 얼른 뒤로 물러섰다.

"사실, 나는 당신을 만나기 전까지 모든 일을 잊고 있었는데, 다시 본후로는 아무리 애를 써도 당신 모습을 지울 수가 없소."

알렉은 그녀를 바라보며 말을 이었다.

"테스, 나는 오늘 오후 두 시 삼십 분에 설교를 해야 하오. 아직까지그 곳에서 형제들이 나를 기다릴 거요."

"그러면 이제 어떻게 하죠?"

"여기 왔으니, 갈 수 없지."

"약속을 하지 않았나요?"

"그래도 나는 가지 않겠소……. 요전에 농장에서 일하고 있는 당신을보았을 때, 나는 미칠 것만 같았소."

"그런 소리 하지 말고, 가세요."

"가지, 테스. 가 주지요."

더버빌은 자신의 마음이 약해진 것을 슬퍼하며 방을 나갔다. 그러나그의 눈에는 이미 어떤 종교적인 신념은 찾아볼 수가 없었다.

또 다른 고통

플린트콤애쉬 농장에서는 새벽부터 마지막 남은 밀 낟가리를 탈곡하기 시작했다.

아침 식사가 끝난 뒤 탈곡기는 다시 돌기 시작했다.

일에서 도저히 한눈을 팔 수가 없었기 때문에 테스는, 점심 식사 시간 바로 전부터 한 남자가 나타나 자기를 유심히 살펴보고 있는 것도 눈치채지 못했다.

"저게 누구지?"

이즈가 마리안에게 물었다.

"분명히 누구의 애인일 거야."

마리안이 내뱉듯이 말을 했다.

"아냐, 저 사람은 테스를 따라다니던 남자임에 틀림없어."

이즈가 말했다.

"그럼 테스에게 말해 줄까?"

"그만둬. 곧 알게 될 텐데, 뭘."

이윽고 점심 시간이 되자, 테스는 일에 너무 시달렸기 때문에 다리가 떨려서 잘 걸을 수조차 없었다.

"너도 한 잔 해."

마리안이 테스에게 술을 권했다. 그 때 바로 테스를 줄곧 지켜보던 알렉 더버빌이 다가왔다.

테스는 점심을 먹기 시작했다. 알렉은 밀 짚단을 타고 넘어와서 아무 말도 없이 테스의 맞은편에 앉았다.

"이렇게 또 왔어."

"왜 당신은 절 이렇게 괴롭히는 거죠?"

테스가 차분하게 말했다.

"나에게는 이제 종교적인 신념이 사라졌어. 이렇게 만든 것은 바로 당신이야!"

알렉은 엄숙한 체하면서 계속 말했다.

"이젠 완전히 다 집어치웠소."

테스는 무슨 말을 하려 했으나, 말이 제대로 나오지 않았다.

"사랑스런 테스, 나는 보다시피 옛날 그대로 돌아가 있소."

"옛날과 같지 않아요, 조금도."

테스는 호소하듯 말했다.

"당신이 바로 내 타락의 원인이오."

그는 테스의 허리에 팔을 뻗으며 계속 말했다.

"테스, 그 남편이라는 사람과 헤어지는 것이 좋을 것 같소."

테스는 갑자기 무릎 위에 놓여 있던 가죽장갑을 집어들어 그의 얼굴을 후려갈겼다. 그의 얼굴에서 피가 흘렀다.

알렉은 태연하게 말했다.

"잊어서 안 될 일은 내가 옛날의 당신 남편이었다는 것이오. 나는 언제고 다시 당신의 주인이 될 것이며, 설혹 당신이 누구의 아내였던 간에 결국은 내 것이란 말이오."

아래쪽에 있던 사람들은 다시 탈곡기에서 일하기 시작하였다.

"지금은 이 정도로 하지. 그러나 나는 오후에 당신의 대답을 듣기 위해 다시 올 거요. 당신은 아직도 나를 모르지만, 나는 당신을 확실히 알고 있소, 테스."

테스는 정신나간 사람처럼 멍청히 서 있을 뿐, 아무 대답도 하지 않았다.

가엾은 동생들

오후 세 시쯤이 되어 알렉 더버빌이 다시 왔지만 테스는 놀라지 않았다. 테스는 여전히 기계 옆에서 일을 하고 있었고 땀이 밴 얼굴은 상기되어 있었다.

테스는 너무나 지쳐서 감각을 잃을 정도가 되었다. 단지 팔목만을 기계적으로 움직이고 있었다. 그러나 그녀는 알렉이 여전히 그 곳에 서서 그녀를 쳐다보고 있다는 것을 알고 있었다.

"그토록 창피를 주었는데도 당신은 여전하군요."

지칠 대로 지친 그녀는 크게 말할 힘도 없었다.

"당신은 마치 피를 흘리고 있는 송아지처럼 가련하군. 그 조그만 손발이 떨리는 것 좀 봐요. 자, 갑시다. 내가 집까지 바래다주지."

"네, 좋아요. 하지만 다른 생각을 가지고 있다면 거절하겠어요."

"나에게도 착한 마음이 있다오, 테스. 난 당신을 이런 생활에서 구해주고 싶어요. 당신이 만일 나를 믿어주기만 한다면, 당신 집안 사람들을 안정시킬 수 있을 텐데 말이오."

"우리 가족을 만나본 적이 있어요?"

"당신 가족은 당신이 있는 곳을 전혀 모르고 있더군."

"동생들 얘기는 하지 마세요. 마음이 아프니까요. 제 가족들을 도와줄 생각이라면 아무 소리 말고 도와주세요. 아니, 아녜요. 그만두세요. 그게 낫겠어요."

테스는 부르짖었다. 알렉은 더 이상 따라오지 않았다.

테스는 저녁 식사를 마치고 희미한 램프 불빛 아래에서 클레어에게 아주 열정적인 편지를 썼다.

기울어져 가는 집

편지는 서부 지방의 조용한 목사관에 제대로 가 닿았다. 클레어 노인은 그 편지를 즉시 에인젤에게 부치도록 했다.

그 때, 에인젤은 노새를 타고 남아프리카의 내륙 지방에서 해안 지방으로 향하고 있었다.

열병을 앓고 농장 경영의 꿈을 포기해 가던 에인젤은 테스와 헤어진 것을 후회하고 있었다. 그는 이미 테스를 용서하기로 마음먹었다. 테스가 플린트콤애쉬에서 일하고 있는 동안 클레어의 테스에 대한 추억은 점점 그리움으로 변해 가고 있었다. 이렇게 테스에 대한 사랑이 되살아나고 테스를 받아들일 준비가 되어 있었으나, 테스의 편지가 그의 손에 닿기까지는 너무나도 오랜 시간이 걸렸다.

그런데 테스에게 다른 사건이 생겼다. 뜻밖에도 동생인 리자 루가 찾아온 것이었다.

"아니, 리자 루! 웬일이니?"

테스는 깜짝 놀랐다. 일 년 전만 해도 어리기만 했던 리자는, 이제는 몰라볼 정도로 커져서 알아보기 힘들 정도였다.

"언니, 오늘 하루 종일 걸었어."

루가 침울하게 말했다.

"집에 무슨 일이 생겼니?"

"어머니가 몹시 편찮으셔. 의사 선생님 말로는 별 희망이 없대. 아버지도 이젠 늙으셨고. 이제 우린 어떻게 하면 좋을지 정말 모르겠어."

아무래도 집으로 돌아가야만 할 것 같았다. 계약 기간이 끝나려면 며칠 더 남았지만, 그 때까지 기다릴 수 없었다. 테스는 곧 출발했다.

돌아가신 아버지

테스는 스산하고 적막한 어둠 속을 걸었다. 새벽 세 시에 테스는 말로트 마을에 도착했다.

집에 도착한 테스는 가족들을 놀라지 않게 하기 위해서 조용히 문을 열었다. 아버지는 테스가 집에 돌아온 다음 날부터 무척 쾌활해졌다.

집안일을 끝내고 나면, 바로 테스는 감자밭으로 나가 일했다. 며칠이 지나자 게으른 아버지도 테스의 설득에 따라 채소밭에 나가 일을 하기 시작했다.

어머니의 병도 조금씩 차도를 보이기 시작하여, 이제는 테스가 옆에 붙어 있지 않아도 될 정도가 되었다.

채소밭에서 일하고 있던 사람들 중 말로트 마을에서는 못 보던 사람이 하나 있었다.

이윽고 테스가 일손을 멈추었을 때, 그 남자는 들풀을 지폈다. 불이 활짝 피어오르고 테스는 그 불빛으로 환해진 더버빌의 얼굴을 보았다.

그 낯선 남자는 바로 알렉 더버빌이었다. 테스는 놀라 그를 망연히 바라보았다.

"테스, 당신은 나를 매우 나쁜 놈으로 생각하고 있겠지?"

"아니요. 나 때문에 여기까지 와서 일하고 있나요?"

"그래요. 이런 힘든 일을 하지 못하게 말리려고 온 거요."

"하지만 나는 일하는 것이 좋아요. 가족들을 위해 하는 일이니까요."

"다음에는 어디로 갈 거요? 사랑하는 남편한테로 갈 건가?"

"저에겐 남편이 없어요."

"테스, 나는 당신을 편안하게 해 주고 싶소. 내가 당신 집으로 무엇인가를 보냈소."

"알렉, 당신한테는 어떤 것도 받을 수 없어요. 그것은 옳지 못한 일이에요."

테스는 눈물을 흘리며 다시 밭을 일구기 시작했다.

"알렉, 내가 괴로워하는 것은 생활 때문이 아니에요. 지금 나는 매우 편안하게 살고 있어요."

"동생들 때문에 걱정하는 거지? 나도 알고 있소. 그리고 나도 그것이 걱정이오."

테스는 가슴이 철렁 내려앉았다. 그는 그녀의 가장 큰 걱정거리를 알고 있었던 것이다.

"만일 어머니가 돌아가신다면, 누가 아이들을 돌봐 주어야 하지 않소? 아버지는 해낼 것 같지도 않구."

"제가 도와드리면 돼요. 그러면 아버지도 해나가실 수 있을 거예요."

더버빌은 테스에게서 물러나 그 때까지 입었던 옷을 벗어 모닥불 속으로 집어 던졌다. 그리고는 가 버렸다.

테스는 쇠스랑을 들고 힘없이 집 쪽으로 걷기 시작했다. 집에 거의 다 왔을 때 동생을 만났다.

"언니, 큰일났어. 아버지가 돌아가실 것만 같아요. 리자 루는 울고 있고, 집에는 이웃 사람들이 와 있어요."

테스의 얼굴빛이 달라졌다.

이 때, 눈물로 범벅이 된 얼굴로 리자 루가 와서 말했다.

"언니, 지금 막 아버지가 돌아가셨어. 의사 선생님도 어떻게 할 수 없었대."

테스는 그 자리에 쓰러질 것만 같았다. 죽어 가던 어머니는 살아나고 오히려 괜찮았던 아버지가 죽은 것이다.

이 사

아버지가 돌아가시자, 테스의 어머니는 술을 마시고 주정을 부렸으며 어린아이들은 교회에 잘 가려 하지 않았다.

그녀의 가족은 쫓겨나다시피 다른 마을로 이사를 가야만 하였다. 이사를 가기 전날 밤은 이슬비가 내렸고, 일찍 어두워졌다. 테스는 창문에 얼굴을 대고 생각에 잠겼다. 테스는 너무나 괴로웠다.

"나는 역시 집에 돌아올 처지가 아니었어."

테스는 골똘히 이런저런 생각들을 하느라 흰 비옷을 입은 남자가 그녀의 집 앞에 와 있는 것도 보지 못하고 있었다.

더버빌이었다.

"살림살이를 모두 싸 놓았군. 여기를 떠나는 거요?"

"네, 내일."

"너무 갑작스러운 일이군. 왜, 어째서 이렇게 떠나게 되었소?"

"이 집의 권리는 아버지 대에서 끝이 났어요. 내 문제만 아니었어도 어머니와 동생들은 이 집에서 살 수 있었을 거예요."

"당신이 왜 문제가 된다는 거지?"

"아시다시피 전 정숙한 여자가 아니잖아요?"

더버빌의 얼굴이 무섭게 변했다.

"그래서 여기를 떠나야 한단 말이오? 결국은 쫓겨나는 것이군."

비위가 뒤틀린 듯 격분된 목소리로 그는 사납게 말했다.

"그들이 우리가 떠나기를 원하니 할 수 없이 가야겠지요."

"그렇다면 어디로 갈 작정이오?"

"킹스비어예요. 벌써 그 쪽에 방을 얻어 놓았어요."

"하지만 셋집이 너무 좁지 않겠소? 더욱이 킹스비어 같은 조그만 읍에서 말이오. 테스, 차라리 트랜트리지에 있는 우리 집 아래채로 오면 어떻겠소?"

"하지만 우린 벌써 킹스비어에 방을 얻어 놓았어요. 그리고 기다리고 있으면……."

"기다리고 있으면? 아, 그 훌륭한 남편 말이군. 그는 오지 않아요."

테스의 호흡이 빨라졌다.

"난 당신을 믿을 수 없어요. 당신의 마음이 언제 변할지도 모르고."

"아냐, 그런 일은 없을 거요. 필요하다면 내가 증서라도 써 주지."

"전, 안 가요. 돈을 얻을 수 있어요."

테스는 외쳤다.

"돈? 돈을 어디서?"

"시아버지께 달라고 하면 돼요."

"테스, 당신답지 않군. 당신은 그렇게 하지 못해. 그 전에 당신은 굶어 죽고 말걸!"

이 말을 남기고 그는 가 버렸다.

테스는 오랫동안 그 곳에 앉아 있었다. 그러다 테스는 격정을 참지 못해 손에 닿는 대로 종이 한 장을 집어 클레어에게 편지를 썼다.

아, 당신은 어쩌면 그렇게도 저를 모른 체할 수 있을까요. 에인젤! 저는 이런 취급을 당할 만큼 나쁜 여자는 아니에요. 저도 이제 더 이상 당신을 용서하고 싶지가 않군요. 당신을 괴롭힐 생각이 조금도 없었다는 것을 잘 아실 텐데……. 왜, 당신은 이처럼 저를 괴롭히세요? 당신은 너무 혹독해요. 제가 당신에게서 받고 있는 대우는 모두 부당해요. 전 이제 당신을 잊도록 하겠어요.

테스는 우편 배달부가 지나갈 때를 기다리고 있다가, 그 편지를 배달부에게 주었다.

어머니가 외출했다 돌아오며 말했다.

"밖에 말발굽 자국이 있더구나. 누가 찾아왔었니?"

"아뇨."

테스가 대답하자 동생들 중의 하나가 나직이 중얼거렸다.

"테스 누나, 조금 전에 말 탄 신사가 왔었잖아!"

"그 사람은 나에게 길을 물었을 뿐이야. 찾아온 것이 아니라구."

테스가 말했다.

"그 신사라니 누구 말이냐? 네 남편이냐?"

"아니에요. 그 사람은 오지 않을 거예요. 절대로 안 올 거예요."

절망적인 어조로 테스는 대답했다.

"그럼, 그 사람은 누구니?"

"어머니, 묻지 마세요. 얘기하면 어머니도 아실 분이에요."

"그래? 그런데 그 사람이 무슨 일로 왔었니?"

"내일 킹스비어의 셋집으로 완전히 이사를 끝낸 후에 말씀드릴게요."

남편이 아니라고 그녀는 대답했었다.

그러나 육체적인 의미로는 오직 그 남자만이 남편이라는 생각이 점점 더 테스를 무겁게 짓누르는 것이었다.

친구들의 우정

이사하는 날 아침은 바람이 불고 날도 흐렸지만 다행히 비는 오지 않았다. 테스는 일단 날씨에 대해서 안심을 하고 짐마차를 불렀다.

이윽고 이삿짐을 실은 마차는 높은 언덕을 기어오르기 시작했으며 바람이 차갑게 살결에 와 닿았다.

주막에서 쉬고 있는데 마리안이 거기 있었다. 테스가 그녀에게 다가가자, 그 곳에는 이즈 휴에트도 있었다.

"마리안! 이즈!"

테스는 그들을 불렀다.

그녀들은 일자리를 찾아 떠나는 중이었다.

"너희들도 지금 떠나는 길이니?"

이즈와 마리안이 그렇다고 대답했다.

"테스, 너를 따라다니던 그 남자 있지? 네가 어디로 갔느냐고 묻더구나. 그렇지만 우리는 네가 그 사람을 만나고 싶어하지 않는 것 같아 모른다고 그랬어."

"그랬니? 하지만 날 찾아냈어……."

테스는 중얼거리듯이 말했다.

"그럼, 그 사람은 지금 네가 어디로 가는지 알고 있겠구나?"

"아마, 그럴 거야."

"남편은 돌아왔니?"

"아니."

갈 길이 반대여서 테스는 친구들과 헤어졌다. 아침 일찍 집을 떠났지만 그린힐에 도착한 것은 늦은 오후였다.

언덕 아래 킹스비어가 보였다. 그 곳에는 아버지가 그토록 자랑스러워하던 테스의 조상들이 잠들고 있었다.

한 남자가 그들을 보고 총총걸음으로 달려와 어머니에게 물었다.

"혹시 이 곳으로 이사 오시는 더비필드 부인이신가요?"

"예."

어머니가 대답했다.

"부인께서 존 더비필드 씨의 미망인이라면 전해드릴 말씀이 있습니다. 당신이 빌린 방에 다른 사람이 들었다고 전해드리라고 해서."

그 남자의 말에 어머니는 매우 당황했고 테스도 얼굴이 새파랗게 질렸다.

"테스, 이 일을 어쩌면 좋으냐? 조상의 땅에서까지 이런 대접을 받는구나! 그렇지만 할 수 없지……. 다른 곳을 찾아봐야지."

마부는 짐을 내려놓고 떠났다. 테스는 절망적인 기분으로 살림살이를 바라보았다.

교회와 묘지를 한바퀴 돌고 온 테스의 어머니가 말했다.

"자, 테스야. 그리고 에이브러햄과 리자도 이리 와서 좀 도와줘야겠다. 우선 어린 동생들에게 잠자리를 만들어 주고 나서 머물 곳을 찾아보자꾸나."

테스는 세간 속에서 낡은 네발 침대를 꺼내어 더버빌 회랑이라고 불리는 건물 한 부분의 벽 밑에 세웠다. 어머니는 침대 주위에 천막을 만들고 동생들을 그 안으로 들어가게 한 후, 리자 루와 사내 동생을 데리고 먹을 것을 구하러 좁은 길을 다시 올라갔다.

그 때 한 남자가 두리번거리며 그들을 찾고 있었다.

"여기들 계셨군요. 그런데 테스는 어디에 있죠?"

그는 알렉 더버빌이었다.

테스는 그 때 어둠이 깃들이기 시작한 묘지의 여기저기를 거닐고 있었다. 그러다가 교회의 문이 열려 테스는 그 안으로 들어갔다. 거기에는 몇 세기에 걸친 이 집안의 무덤들이 있었다.

테스는 생각에 잠긴 채 그 곳을 떠나려다가 한 무덤 위에 누워 있는 사람을 발견하고는 소스라치게 놀랐다. 그는 알렉 더버빌이었으며 테스가 놀라서 비틀거리자 무덤에서 뛰어내려와 그녀를 부축해 주었다.

"당신의 명상을 방해하지 않으려고 저 위에 누워 있었지."

그는 미소지으며 말했다.

"저리 가 주세요!"

테스는 중얼거리듯 날카롭게 말했다.

"그렇게 하지. 가서 당신 어머니를 만나봐야겠소."

그가 부드럽게 말했다.

"하지만 잘 들어 둬요. 당신도 앞으로는 내 앞에서 공손해질 거요."

바로 그 때쯤 마리안과 이즈는 가나안 땅을 향하고 있었다. 그녀들은 알렉 더버빌이 테스의 과거와 어떤 관계가 있다고 짐작하였다.

두 처녀가 목적지에 도착하고 한 달 정도 지난 후에 클레어 씨가 돌아온다는 소문을 들었으나, 테스에 관하여는 아무것도 모르고 있었다.

사실 두 처녀는 그 소식을 듣고 잠시 흥분했었으나, 테스에 대한 깊은 우정 때문에 클레어에게 몇 줄의 편지를 썼다.

클레어 씨에게

선생님의 부인께서 선생님을 사랑하는 만큼 선생님께서도 만일 부인을 사랑하고 계신다면 제발 부인을 돌보아 주세요. 지금 부인은 친구라는 자에게 괴로움을 당하고 있습니다. 정말 멀찌감치 쫓아 버려야 할 자가 부인을 계속 따라다닙니다. 부인이 시련을 겪지 않게 해 주세요. 끊임없이 떨어지는 물방울은 돌이라도……. 아니, 다이아몬드라도 닳아 없앨 것입니다.

테스의 행복을 비는 두 친구로부터

두 사람은 이 편지를 테스의 시댁인 에민스터의 목사관으로 부쳤다.

테스를 찾아 떠나는 에인젤

에민스터의 목사관에 저녁 어둠이 깃들고 있었다.

목사는 응접실에 있다가 다시 밖으로 나갔다. 클레어 부인도 남편의 뒤를 쫓아 현관까지 나왔다.

"아직도 시간이 많이 남았군. 기차가 제 시간에 닿는다 해도 여섯 시 전에는 초크 뉴턴 역에 닿을 수 없을 거야."

목사가 말했다. 그들은 기다린다는 것만이 중요했다.

마침내 오솔길에서 소리가 들리더니 낡은 마차 한 대가 울타리 너머로 나타났다.

"아아! 우리 에인젤이 드디어 돌아왔구나!"

클레어 부인이 외쳤다.

세 사람은 촛불이 켜져 있는 방 안으로 들어갔다. 그의 어머니는 안으로 들어서자마자 아들의 얼굴을 자세히 들여다보았다.

"아, 에인젤. 떠날 때의 네 모습과는 너무나 다르구나!"

그의 아버지도 에인젤을 보고는 심한 충격을 받았다.

"그 곳에서 열병을 앓았기 때문에 그렇습니다. 그렇지만 이제 다 나았어요. 저에게 온 편지는 없나요?"

"네 아내한테서 온 편지 말이냐?"

"그렇습니다."

그 즈음 다른 한 통의 편지가 와 있었다. 에인젤은 어머니가 건네준 편지를 급히 뜯었다. 그것은 테스가 마지막으로 보낸 편지였다. 그 편지를 보면서 에인젤은 가슴이 찢어지는 고통을 느꼈다.

"아아, 이제 테스는 다시는 나하고 화해하지 않을 거야."

그는 편지를 내던지며 설망적으로 말했다.

"에인젤, 그깟 흙에서 태어난 시골 여자 때문에 너무 상심하지 말아라."

그의 어머니가 말했다.

"겨우 흙에서 태어난 사람이라구요? 어머니, 우리는 모두 흙에서 태어났어요."

얼마 후 에인젤은 잠자리에 들었다.

에인젤은 테스의 부모 앞에서 그녀와 만나는 것이 과연 현명한 일인지를 생각해 보았다. 그리하여 에인젤은 우선 테스의 가족들에게 자기가 귀국했음을 편지로 알렸다. 일주일도 못 되어 더비필드 부인한테서 짤막한 답장이 왔다. 그러나 그 회답은 에인젤에게 희망을 주지 못했다. 그 편지는 말로트에서 보내진 것도 아니었고 주소도 씌어 있지 않았다.

여기 몇 자 간단히 적어 보냅니다. 내 딸은 지금 내 곁에 있지 않습니다. 언제 돌아올지 잘 모릅니다만, 하여튼 돌아오는 대로 편지를 드리지요. 딸이 어느 곳에서 살고 있는지는 말씀드릴 처지가 못 됩니다. 더욱이, 우리 가족은 얼마 전에 말로트를 떠났다는 것을 아셔야겠습니다.

J. 더비필드

그는 테스가 건강하게 잘 있다는 것을 안 것만으로 만족할 수밖에 없었다. 테스가 돌아오기를 기다리는 수밖에 달리 방법이 없었다.

에인젤은 아버지의 집에서 기운을 차리면서, 테스가 돌아왔다는 더비필드 부인의 편지가 오기를 기다렸다. 그러나 기다리던 편지는 끝내 오지 않았다. 기다림에 지친 그는 당장 그녀를 찾아 나서기로 결심했다.

또한 테스가 시아버지에게 돈을 청구한 적이 한 번도 없다는 것을 알

게 된 에인젤은 그녀가 얼마나 빈곤에 시달릴까 생각했다.

클레어는 길을 떠나기 위해 몇 가지의 짐을 꾸리면서 최근에 도착한 서툴고 짤막한 편지를 읽었다.

그것은 마리안과 이즈로부터 온 것으로, 서두는 '클레어 씨에게——선생님의 부인께서 선생님을 사랑하는 만큼, 선생님이 부인을 사랑하신다면 제발 부인을 돌보아 주세요.'라고 씌어 있었고 '행복을 비는 테스의 두 친구로부터'라고 씌어 있었다.

차가운 장모

겨우겨우 수소문해서 테스의 어머니가 사는 마을로 들어선 것은 저녁 일곱 시 무렵이었다. 그 마을은 조그맣고 보잘것없는 곳이었으므로 더비필드 부인의 셋집을 찾는 것은 그다지 어렵지 않았다.

그러나 테스의 어머니는 그가 찾아온 것을 반가워하지 않는 눈치였기 때문에 그는 어쩐지 자신이 불청객 같은 느낌이 들었다.

저녁 햇살이 테스 어머니의 얼굴에 비치었다.

클레어는 자기가 테스의 남편이라는 것과, 여기까지 찾아온 목적을 어색하게 설명했다.

"지금 곧 테스와 만나고 싶습니다. 장모님께선 다시 편지를 보내 주시겠다고 하셨지만, 아무런 소식도 받지 못했습니다."

"그 애가 아직 돌아오지 않았기 때문이죠."

더비필드 부인이 조용히 말했다.

"테스는 잘 있습니까?"

"모릅니다. 그것은 나보다도 당신이 알고 있어야 할 일 아닌가요?"

"옳은 말씀입니다. 그런데 테스는 지금 어디에 있죠?"

더비필드 부인은 처음부터 이야기를 주고받을 때 한쪽 뺨에 줄곧 손을 댄 채 왠지 모르게 당황하고 있었다.

"지금은 어디에 있는지 잘 모르겠어요."

그녀는 대답했다.

"그전에는 어디 있었나요?"

"하지만 지금은 그곳에 없을 거예요."

테스의 어머니는 다시 입을 다물었다.

클레어는 그녀가 무엇인가를 숨기고 있는 것을 눈치챘으나, 그래도 그는 또 물어보았다.

"테스는 제가 찾는 것을 바라고 있을까요?"

"기뻐하지 않을 것 같군요."

"분명히 그럴까요?"

"분명히 그럴 겁니다."

클레어는 그대로 돌아가려다가 문득 테스의 애정이 넘치는 편지를 생각했다. 그리고 다시 말했다.

"아녜요, 테스는 분명 기뻐할 겁니다. 나는 테스를 잘 알고 있어요."

"그럴지도 모르죠. 사실 난 그 애의 마음을 알 수가 없으니까."

"장모님, 제발……. 이 불행한 사내에게 친절을 베푸셔서 테스의 주소를 가르쳐 주십시오."

테스의 어머니는 마침내 나직이 말했다.

"그 앤 샌드본에 있어요."

이 말만은 사실로 여겨졌기 때문에 그는 더 이상 묻지 않고 그대로 그 곳을 떠났다. 정거장까지는 5킬로미터 정도밖에 되지 않아서, 클레어는 정거장을 향해 걸었다.

잠시 후, 그는 샌드본을 향해서 떠나는 막차에 몸을 싣고 있었다.

때늦은 후회

그날 밤 열한 시 경 그는 샌드본에 도착했다.

도착 즉시 한 호텔에 방을 정하고 아버지에게 주소를 알리는 전보를 친 후, 샌드본 거리로 산책을 나갔다. 사람을 찾기에는 너무 늦은 시간이었다. 그러나 호텔로 돌아가기는 싫어서 계속 거리를 걸었다.

샌드본은 아주 고급에 속하는 휴양지이자 해수욕장이 있는 곳이었다. 화려하고 신기한 향락의 도시가 그 모습을 드러내고 있었다. 이 도시는 드문드문 떨어져 있는 별장으로 이루어져 있었고 영국 해협을 바로 눈 앞에 바라보는 훌륭한 지중해식의 유원지였다.

농가집 처녀인 자기의 젊고 예쁜 아내 테스는 도대체 이런 곳에서 무엇을 하고 있는 것일까? 클레어는 약간 의아스러웠다.

클레어는 열두 시가 훨씬 지나서야 호텔로 돌아왔다. 그리고 잠자리에 들기 전에 다시 한번 테스의 열정적인 편지를 읽어보았다. 그는 잠을 이룰 수 없었다.

다음 날 아침 일곱 시에 일어난 그는 곧 밖으로 나가 중앙우체국 쪽으로 걸어갔다. 그는 입구에서 우편 집배원과 마주쳤다.

"클레어 부인이란 사람의 주소를 알 수 없을까요?"

에인젤이 물었으나 집배원이 고개를 흔들었다.

그래서 클레어는 테스가 틀림없이 처녀 시절의 이름을 쓸 것이라고 생각하고 다시 물어보았다.

"더비필드 양이라면 혹시 알고 계신지요?"

"더비필드? 보시다시피 이 거리에는 매일같이 손님들이 드나들고 있으니까요, 주소를 가지지 않으셨다면 찾기가 힘들어요."

그때 마침, 다른 집배원이 나왔기 때문에 그는 다시 물어보았다.

"더비필드라는 이름은 몰라도 백로장에 더버빌이란 이름을 가진 사람이 있더군요."

하고 두 번째 집배원이 말했다.

"바로 그거예요. 그런데 백로장이라는 곳은 어떤 곳이죠?"

"사치스러운 여관이지요. 이 거리는 온통 하숙집이나 여관뿐이죠."

클레어는 그쪽으로 급히 발걸음을 옮겼다. 청로장은 보통 하숙집이기는 했으나 외따로 떨어진 곳이었으며 개인 주택 같은 집이었다.

클레어는 문 앞으로 다가서서 벨을 눌렀다. 아직 이른 아침이었기 때문에 하숙집의 안주인이 직접 문을 열었다. 그는 주인 여자에게, 이 곳에 혹시 테스 더버빌이나 더비필드라는 여자가 살고 있는지 물었다.

"더버빌 부인 말씀이세요?"

"그렇습니다. 친척 되는 사람이 꼭 만나보고 싶어하더라고 전해 주시겠어요?"

그는 아마도 테스가 어떤 남자와 결혼해 사는 것이라고 생각했다. 비록, 자기의 이름은 쓰고 있지 않았으나 그는 몹시 기뻤다.

클레어는 집 안으로 안내를 받아 들어갔다.

조그마한 잔디밭과 석남화를 커튼 너머로 내다보며 클레어는 테스의 처지가 자신이 생각했던 것만큼 나쁘지는 않은 것 같다고 생각했다.

잠시 후 계단을 내려오는 소리가 들렸으며 그의 심장은 마구 뛰기 시작했다. 그때 문이 열렸다. 그리고 테스는 그가 예상했던 것과는 아주 다른 모습으로 그곳에 나타났다. 그녀가 입고 있는 화려한 옷은 그녀의 아름다움을 한층 돋보이게 했다.

클레어는 그녀를 향해 두 팔을 내밀었다. 그러나 그의 팔은 힘없이 다시 아래로 떨어졌다. 테스가 무표정하게 서 있었기 때문이었다.

"테스! 나를 용서해 줄 수 있겠소? 나에게로……. 다시 돌아와 주지 않겠소? 그런데 당신 지금 어떻게 살고 있는지?"

클레어는 쉰 목소리로 말했다.

"너무 늦었어요. 너무……."

테스는 온 방 안이 울리도록 날카로운 목소리로 말했고 눈은 이상하게 빛났다. 테스는 매우 괴로운 듯이 손을 흔들며 말을 이었다.

"제 곁으로 가까이 오지 마세요, 안 돼요! 가까이 오지 마세요."

"이젠 나를 사랑하지 않는단 말이오? 내가 병으로 약해졌기 때문이오? 아니야, 당신은 그렇게 변덕스러운 여자가 못 돼요. 나는 당신 때문에 돌아왔소. 내 부모님들은 이제 당신을 반갑게 맞아들일 거요!"

"하지만 너무 늦었어요, 전……. 당신을 기다리고 또 기다렸어요."

테스는 말을 이었다. 그 음성은 옛날과 똑같았다.

"기다리다가 편지를 보냈죠. 그래도 당신은 돌아오지 않았어요. 그 사람은 당신이 절대로 돌아오지 않을 거라고 말했어요. 아버님이 돌아가시고 그는 우리 식구에게 참으로 친절했어요. 그는……."

"무슨 말인지 모르겠군."

"전 다른 사람과 결혼해 살고 있어요."

클레어는 테스를 뚫어지게 쳐다보았다.

이윽고 그는 테스의 말뜻을 이해하며 마치 갑자기 지쳐 버린 사람처럼 기운 없이 시선을 떨어뜨렸다.

"그 사람은 위층에 있어요. 그 사람이 미워서 죽겠어요. 저에게 거짓말을 했으니까요. 그이는 당신이 절대로 돌아오지 않는다고 했는데, 당신은 돌아왔군요. 아아, 에인젤! 이젠 제발 돌아가 주세요!"

"모두가……. 테스, 모두가 내 잘못이었소."

클레어는 더 이상 말을 잇지 못했다.

테스를 바라보고 있는 그의 얼굴에는 이미 핏기가 가셔 있었고, 표정은 심하게 일그러져 있었다. 몇 분 뒤, 그는 거리로 나서서 발길 닿는 대로 무작정 걷고 있었다.

알렉 더버빌의 죽음

백로장 주인 브룩스 부인은 다른 사람에게 별로 관심이 없는 여자였지만 에인젤 클레어가 테스를 찾아온 사건에는 호기심을 보였다.

브룩스 부인은 두 사람의 대화를 엿들었다. 그녀는 테스가 다시 위층으로 올라가자 살그머니 계단을 올라갔다. 그리고는 테스의 방문 곁에 섰다. 이윽고 안에서 신음 소리 같은 흐느낌이 들려왔다.

"오…… 오오……!"

하숙집 여주인은 열쇠 구멍으로 방 안을 들여다보았다. 테스는 울고 있었고 남편의 사나운 목소리가 들렸다.

"왜 그래?"

테스는 발작적으로 중얼거렸다. 그것은 마치 장송곡처럼 들렸다.

"저를 정말 사랑하고 있는 남편이 돌아왔어요. 당신은 제 남편이 절대로 돌아오지 않는다고 했죠? 그런데 남편이 돌아왔어요. 이제 우리는 끝났어요. 클레어는……. 아주 멀리 가 버렸어요. 당신 때문에!"

테스의 입술에서는 피가 배어 나왔다. 입술을 꽉 깨물었기 때문이었다. 긴 속눈썹에는 흥건히 눈물이 고여 있었다.

갑자기 사나이가 날카로운 소리를 질렀고 여자는 벌떡 일어났다. 브룩스 부인은 급히 계단을 내려왔다. 잠시 후 문 닫는 소리가 나더니, 테스가 한길로 나가는 모습이 창문을 통해서 보였다.

얼마나 시간이 흘렀을까, 브룩스 부인은 잠시 일손을 멈추고 이층의 손님들을 생각하면서 등을 의자에 기댔다. 부인의 눈은 천장에서 멈추었다. 천장 가운데에 못 보던 얼룩이 번져 있었다. 처음에는 작은 빵 크기만하던 것이 점점 커지더니 손바닥만큼 커졌다.

그녀는 그것이 붉은색을 띠고 있음에 놀랐다. 핏자국 같았다. 브룩스 부인은 급히 이층으로 올라가 보았다. 방 안에서는 아무 소리도 나지 않았다.

브룩스 부인은 허둥지둥 이층에서 내려와 한길로 나갔다.

이웃 별장에 고용되어 있던 일꾼에게 이층에 좀 올라가 봐 달라고 부탁했다. 일꾼은 방으로 들어갔다가 금세 표정이 굳어졌다.

"침대 위에 남자가 죽어 있어요! 나이프에 찔린 모양입니다."

사건은 곧 경찰에 신고되었다.

남자는 반듯하게 누운 채 창백한 얼굴로 막대기처럼 굳어 있었다.

도 망 자

에인젤 클레어는 자기가 묵었던 호텔로 되돌아와 멍하니 아침 식탁 앞에 앉았다. 그는 아무 생각 없이 먹고 마셨다. 그리고는 갑자기 숙박비를 지불한 다음 호텔을 나왔다.

클레어는 정거장을 향해 걸었다.

정거장에 도착해 보니 한 시간 이상이나 기차를 기다려야만 했다. 클레어는 이 도시를 빨리 떠나고 싶었기 때문에 다음 정거장까지 걷기 시작했다.

클레어가 걸어가는 한길은 사방이 넓게 트여 있었다. 서쪽 고갯마루턱에 다다르자 멀리 움직이는 한 점이 보였다. 달리는 사람 같았다. 클레어는 그 사람이 자기를 쫓아오고 있다는 막연한 생각에, 서서 기다리고 있었다.

테스였다.

그러나 그는 테스가 자기를 쫓아오리라고는 전혀 생각지 못했기 때문에 테스가 가까이 와도 테스인 줄 알아보지 못했다.

"전 당신이⋯⋯. 정거장에서 나오시는 것을⋯⋯. 내가 그 곳에 도착하기 전에 보았어요⋯⋯. 그 때부터 전 계속 당신을 쫓아왔어요!"

테스는 하얗게 질려 부들부들 떨고 있었다. 때문에 클레어는 아무 얘기도 못하고 테스를 부축해 걷기 시작했다.

그는 한길을 벗어나 오솔길로 들어섰다. 나무 숲 사이로 깊숙이 들어선 클레어는 의아스러운 듯 테스를 바라보았다.

"에인젤! 왜 제가 당신을 쫓아왔는지 아시겠어요? 그것은 제가 그 사람을 죽였다는 것을 알리기 위해서예요."

"뭐라고!"

그는 갑자기 테스가 정신이 나간 것이 아닐까 생각했다.

"네, 왜 그랬는지는 모르지만⋯⋯. 기어코 일을 저질러 버렸어요. 당신을 위해서나, 저를 위해서나 마땅히 해야 할 일이라고 생각했어요. 당신이 돌아오시지 않아서 전 그 사람에게로 갔던 거예요. 에인젤, 그 사람을 죽여 버렸으니까 나를 용서해 주시겠어요? 용서해 주실 거라고 생각하면서 달려왔어요."

"사랑해! 사랑하구말구. 테스, 오오, 모든 것은 예전대로야."

클레어는 테스를 두 팔로 힘껏 안으며 말했다.

"그런데 어찌된 일이야? 당신이 그 사람을 죽였다니?"

"죽였어요. 제가 당신 때문에 우는 걸 보고는 저에게 마구 욕을 했어요. 당신께도 더러운 욕을 했구요. 그래서 참을 수가 없었어요."

클레어는 그제서야 사건을 짐작할 수 있었다. 테스는 클레어가 자기를 끝까지 보호해 줄 것이라 믿고 있었다.

그는 창백한 입술로 테스에게 수없이 키스를 거듭하고, 테스의 손을 꼭 쥐면서 말했다.

"테스, 나는 절대로 당신을 버리지 않을 거야! 내 힘이 닿는 데까지 보호하겠단 말이오!"

그들은 나무 그늘 아래로 걸어갔다.

테스는 가끔 얼굴을 들고 그를 쳐다보았다. 테스에게 있어서 클레어는, 예전과 마찬가지로 용모도 마음도 어디 하나 흠잡을 데 없는 완벽한 존재였다.

테스의 눈에는 아직도 병이 낫지 않은 클레어의 얼굴이 새벽빛처럼 아름다워 보였다. 왜냐하면, 그 얼굴이야말로 이 세상에서 테스를 순결하다고 믿는 단 한 사람의 얼굴이었기 때문이다.

정오쯤 되어 둘은 한 길가의 주막집 근처에 이르렀다. 테스는 그에게 주막집으로 가서 무엇이든 먹자고 말했다. 그러나 그는 테스에게 자기가 돌아올 때까지 덤불 속에 숨어 있도록 당부했다.

클레어는 곧 충분한 음식과 두 병의 포도주를 가지고 돌아왔다. 혹시 무슨 일이 생긴다 해도 그 음식으로 하루나 이틀쯤은 견딜 수 있을 것 같았다.

그들은 마른 나뭇가지 위에 앉아서 식사를 했다. 한 시 반쯤 되어 그들은 더욱더 산골 깊숙이 들어갔다.

저녁 무렵 시냇물의 다리 건너에 큰 간판이 보였다. 거기에는 흰 페인트로 '최고의 저택, 가구도 빌려 줌'이라고 씌어 있었다. 다리를 건너자 곧 그 집이 보였다. 그들이 이 집 문 앞에 오기까지는 약 반 시간 정도 걸렸다.

테스는 문 앞 덤불 속에서 기다리고 있고 클레어는 그 집으로 가만히 들어갔다. 한참만에 그가 돌아왔다.

"지금 그 집에는 아무도 없어. 창문으로 들어가 오늘은 그 곳에서 쉬기로 하지."

클레어는 말을 마치고 테스를 부축하여 현관 쪽으로 걸어갔다. 홀을 제외하고는 어느 방이고 모두 캄캄했다.

그들은 계단을 올라갔다.

클레어는 어느 넓고 커다란 방의 육중한 문고리를 벗기고 들어가서 덧문을 조금 열어놓았다.

"마침내 쉴 수가 있게 됐군."

클레어가 말했다. 그들은 몸을 완전히 어둠 속에 숨긴 뒤, 될 수 있는 대로 조용히 누워 있었다.

5일 동안의 행복

그날 밤은 이상할 정도로 고요하고 엄숙했다.

한밤중이 지나서 테스는 언젠가 클레어가 잠 속에서 자신을 돌무덤 속에 눕혔던 일을 말해 주었다.

클레어는 아무것도 모르고 있었다.

그 다음 날 아침에는 비가 오고 안개가 뿌옇게 끼었다. 클레어는 집 안을 이리저리 돌아다녀 보았다. 먹을 것이라고는 아무것도 없었다.

클레어는 생각 끝에 안개가 낀 것을 도움 삼아 밖으로 나갔다. 그리고 3킬로미터 정도 떨어진 조그마한 가게로 가서, 빵과 버터, 그리고 작은 차와 주전자 한 개, 알코올 램프를 사들고 돌아왔다.

그가 방으로 들어오는 소리에 테스는 잠에서 깼다. 그들은 아침을 맛있게 먹었다. 그들은 밖으로 나가고 싶지 않았다. 다시 또 밤이 찾아왔다. 그리고 또 밤이 왔다. 두 사람은 바깥의 세계와 인연을 끊은 채 어느덧 닷새를 보내고 있었다. 참으로 평화롭고 행복한 나날이었다.

클레어가 어딘가로 떠나자고 말했다.

"왜 이렇게 즐겁고 재미있는 생활을 끝내야만 해요? 저 바깥은 괴로움뿐이에요."

그러나 그녀는 고개를 가로저으며 이렇게 말했다. 클레어는 바깥을 내다보았다.

테스의 말이 옳았다. 밖에는 괴로움과 냉혹함만이 있었지만, 이 곳에는 사랑과 애정, 지난 일에 대한 용서만이 존재하고 있었다.

테스는 남편의 뺨을 어루만지며 말했다.

"전, 당신이 저를 사랑해 주시는 마음이 오래 계속되지 않을 것 같은 기분이 들어요. 만일 그렇게 된다면 죽는 편이 나을 거예요"

"언제까지라도 나는 당신을 사랑할 거야, 테스."

"저도 그것을 바라고 있지만……. 하지만 어느 남자든 제 과거를 알고 나면 저를 업신여기게 될 거예요. 난 또 죄를 지었어요. 옛날에는 파리 한 마리도 죽이질 못했는데……."

그들은 하룻밤을 더 그 곳에서 보냈다.

그 다음 날은 하늘이 맑게 개었다. 그 집을 관리하는 노파가 집을 둘러보러 왔다.

노파가 두 사람이 자고 있는 방문의 손잡이를 돌리려는 순간이었다. 방 안에서 사람의 숨소리 같은 것을 들었다. 그녀는 자기가 잘못 들었는지도 모른다고 생각하며 손잡이를 조용히 돌렸다.

창문으로 흘러든 아침 햇살이 곤하게 자고 있는 연인들의 얼굴 위에 내리비쳤다.

여자의 얼굴은 남자의 뺨 가까이에서 마치 방금 피어난 꽃처럼 아름다웠다. 이어 노파는 두 사람의 잠자는 천진스리운 얼굴과 의자 위에 놓여 있는 화려한 옷들을 보고는 놀라지 않을 수 없었다.

처음에는 침입자들에게 화가 났지만, 그들이 사랑하는 연인들로 보이자 잠시 감상에 잠겼다.

노파는 다시 방문을 닫고 이웃 사람들과 이 일을 의논하기 위해 집 밖으로 나왔다.

노파가 나가고 잠시 후 두 사람은 깨어났다. 두 사람은 무엇인가가 자신들의 잠을 방해했다는 생각에서 서로 마주 바라보았다. 그들은 점점 불안해지기 시작했다.

클레어는 곧 옷을 입고 밖을 내다보았다.

"곧 나가야겠어요. 이 집 주위에 누군가가 있는 것만 같아."

클레어가 급하게 말했다. 테스도 방 안을 정돈하기 시작했다. 얼마 후에 그들은 자신들의 물건을 가지고 발소리를 죽이며 바깥으로 나갔다.

둘은 곧바로 북쪽을 향해 걸었다. 클레어는 테스와 함께 숲 속에 숨어 있다가 저녁 무렵에야 거리로 나가 음식을 사 가지고 왔다.

그리고는 어둠을 이용하여 밤길을 걸어서 여덟 시쯤에는 상부 웨섹스와 중부 웨섹스의 경계를 넘었다. 그들은 다시 멜체스터의 도시를 통과하여 큰길을 따라 걸어서 넓은 들판으로 들어서게 되었다. 그렇게 걷던 그들 앞에 무엇인가 거대한 것이 나타났다. 두 사람은 하마터면 그것에 부딪칠 뻔하였다.

클레어는 귀를 기울였다. 바람이 그것에 부딪쳐 윙윙 소리를 냈다. 그는 한두 걸음 앞으로 나가 그것을 만져 보았다.

그것은 단단한 돌로 만들어진 거대한 기둥이었다. 바로 옆에도 그러한 돌기둥들이 있었다. 머리 위로는 돌기둥을 수평으로 연결해 놓았다. 옆으로 더듬어 가보니 거기 다른 돌기둥이 있었다. 그것은 네모지고 잘 다듬어진 돌기둥들이었다. 그 앞에, 또 그 앞에도 역시 이런 돌기둥이 여러 개 있었다.

"스톤헨지(고대의 유적으로 태양 숭배를 위해서 세운 돌)로군!"
클레어가 말했다.

"이교도의 신전 말씀이세요?"

"그래요, 연대도 알 수 없는 아주 오래된 것이지. 자 이제부턴 어떡하지? 좀더 가면 잘 데가 있을 것도 같은데……."

그러나 이제 지칠 대로 지쳐 버린 테스는 바로 옆의 돌 위에 누웠다.

"에인젤, 여기서 이렇게 있을 수 없을까요?"

"지금은 밤이라 괜찮지만, 낮에는 몇 마일 밖에서도 훤히 보일 거야. 여기는 안 되오, 테스."

클레어는 테스 곁에 무릎을 꿇고 그녀의 입술에 자신의 입술을 포갰다. 그는 자신의 외투로 덮어 주며 그 곁에 앉아 있었다.

"에인젤, 만약 저에게 무슨 일이 일어난다면 제 동생 리자 루를 돌봐주실 수 있겠죠?"

테스는 돌기둥 사이로 부는 바람 소리를 들으며 이렇게 말했다.

"알았소."

"리자 루는 참 착하고 순진한 아이예요. 만일 제가 없어지면……. 아아, 머지않아 그렇게 되겠지만……. 그 땐 리자 루와 결혼해 주세요."

"그런 소리 말아요, 테스. 리자 루는 내 처제란 말이오."

"그건 괜찮아요. 말로트 부근에서는 처제하고 결혼하는 일이 많으니까요. 리자 루는 얌전하고 귀여워요. 당신이 그 애와 함께 살게 된다면, 우리들의 사랑은 영원히 변하지 않는 거예요. 이제 하고 싶은 말은 다 했어요."

테스는 입을 다물었다. 클레어도 조용히 생각에 잠겼다. 얼마 후에 테스의 숨결이 규칙적으로 변하더니, 테스는 깊은 잠에 빠져들었다.

이윽고 해가 떠 모든 것이 가깝게 보였다.

커다란 불길과도 흡사한 태양석은 동쪽에 있었고 제단석은 가운데 근처에 솟아 있었다.

그 때 동쪽 경사지의 가장자리에 무엇인지 움직이는 것이 보였다. 그 조그만 점은 사람의 머리임에 틀림없었다.

클레어는 빨리 떠나고 싶었으나, 이렇게 되고 보니 가만히 그대로 있을 수밖에 없다고 생각했다.

남자는 그들이 있는 곳으로 곧장 걸어오고 있었다. 클레어는 등뒤에서 무슨 소리가 나는 것을 들었다. 그래서 돌아보니 넘어진 돌기둥 쪽에서 다른 남자의 모습이 보였다. 그 남자말고 두 사람이 더 있었다.

테스의 말은 역시 사실이었다. 클레어는 벌떡 일어나서 주위에서 나무든 돌멩이든 무기가 될 만한 것을 찾았다.

그러나 그 때는 벌써 제일 가까이 있던 남자가 클레어한테로 다가와 있었다.

"소용 없어요. 이 곳에는 이미 우리 동료들이 열여섯 명이나 와 있고, 이 지방은 온통 그 사건으로 떠들썩해 있으니까요."

남자가 말했다.

"눈을 뜰 때까지 저 사람을 자도록 해줄 수 없을까요?"

클레어는 나직하게 간청했다.

그를 빙 둘러싼 남자들은, 테스가 누워 있는 쪽을 바라보며 아무도 반대하지 않았다. 그들은 테스를 마치 주위의 돌기둥 마냥 서서 지켜보고 있었다.

클레어는 테스 곁으로 다가가서 그녀에게로 허리를 굽혔다. 테스의 숨소리는 삶에 지친 사람처럼 가늘고 빨랐다.

아침 햇살이 그녀의 얼굴을 환하게 비추었다. 이윽고 강한 햇살 때문에 테스는 잠에서 깨어났다.

"에인젤, 무슨 일이 있나요? 저를 잡으러 온 사람들이에요?"

"그래, 테스! 마침내 와 버렸어."

클레어가 절망적으로 대답했다.

"에인젤, 당연히 잡으러 와야지요. 사랑하는 에인젤, 전 그래도 기뻐요……. 기쁘고말고요. 이런 행복이 언제까지나 계속될 리는 없잖아요? 전 그 동안 너무나 행복했어요. 이젠 만족해요."

테스는 일어나서 남자들이 움직이기 전에 앞으로 걸어나갔다. 그리고 조용히 말했다.

"자, 이제 저를 데려가세요."

영원한 이별

윈턴체스터 시는 칠월 어느 아침의 따가운 햇살을 받으며 기복이 심한 분지의 한복판에 자리잡고 있었다.

이 아름다운 도시는 그 옛날 웨섹스의 수도였던 곳이다. 계절이 계절이니만큼 모든 집의 벽에는 이끼가 말라붙어 있었다.

윈턴체스터의 시민이라면 누구나 알고 있지만, 그 서문에서 한길까지는 꼭 1.6킬로미터가 되는 느릿한 오르막길이 있다.

이 길을 바쁘게 걸어 올라오는 두 사람이 있었다. 그들은 무엇인가를 골똘히 생각하며 바쁜 듯 걷고 있었다.

두 사람은 고개를 푹 숙인 채 길에서 마을 사람들을 만나고 싶지 않은 듯 발걸음을 빨리 했다.

한 사람은 클레어였고 다른 한 사람은 리자 루였다.

키가 호리호리해 마치 이제 막 봉오리가 벌어지려는 꽃과 같은, 그러니까 소녀에서 이제 막 여자로 무르익어 가는 예쁜 리자 루였다.

그녀는 과연 테스의 아름다움을 따라갈 만큼 아름다웠다.

이 두 사람이 서쪽 언덕 꼭대기까지 거의 올라갔을 때 거리의 시계가 여덟 시를 쳤다.

이 소리를 듣고 두 사람은 깜짝 놀란 듯했다.

이어 그들은 하얗게 뚜렷이 서 있는 첫 번째 도표가 있는 곳에 이르러서 곧장 그곳의 잔디밭으로 들어갔다. 그리고 마치 누구에게 명령을 받기나 한 사람들처럼 발걸음을 멈추고 몸을 돌렸다. 그리고는 불안한 표정으로 무엇인가를 기다리고 있었다.

이 꼭대기에서는 아주 멀리까지 내려다볼 수 있었다. 저 아래 분지에는 금방 그들이 떠나 온 도시가 뚜렷하게 보였다.

도시의 가운데에 있는 웅장한 성당의 탑과 성 토마스 사원, 그리고 노르만 시대풍의 여러 창문과 대학의 탑들도 보였다.

이와 같은 풍경을 배경으로 이 도시의 다른 어떤 건물보다도 크고 빨간 벽돌 건물이 하나 보였다.

그것은 죄수들의 괴로움을 상징하는 듯한 철창이 나 있고, 평평한 잿빛 지붕으로 주위의 다른 어느 건물보다도 높다랗게 솟아 있었다.

이 건물은 사철 떡갈나무 잎에 가려져 있어서 그 옆을 지나는 사람들에게는 잘 보이지 않았지만, 이 언덕에서는 환히 내려다볼 수 있었다.

조금 전 두 젊은 사람이 빠져 나왔던 조그만 문은 이 건물의 담벽에 달린 문이었다.

이 건물의 한복판엔 꼭대기가 평평한 볼품없는 팔각형의 탑이 솟아 있었는데, 그 꼭대기에서 보면 이 팔각형의 탑은 도시를 더럽히는 오점 같이 보였다.

그러나 이 두 사람이 찬찬히 지켜보고 있는 것은 도시의 미관이 아니라 바로 이 볼품없는 탑이었다. 탑 위에는 하나의 깃대가 꽂혀 있었고 그들은 그 깃대를 바라보고 있었다. 몇 분이 지난 뒤에, 드디어 이 깃대에 무언가가 천천히 올라가고 있는 것이 보였다. 잔잔히 부는 산들바람에 나부끼며 그것은 저절로 펼쳐졌다.

그것은 한 폭의 검정 깃발이었다.

마침내 심판이 내려진 것이다. 아이스킬로스(그리스의 삼대 비극 시인 중의 한 사람)의 말을 빌리자면, 불사신들을 지배하던 자가 이제 테스에 대한 장난을 끝마친 것이다.

물끄러미 깃발을 바라보고 있던 젊은 두 사람은 마치 기도라도 올리듯이 땅 위에 무릎을 꿇고 엎드려 오랫동안 꼼짝도 하지 않았다.

검정 깃발은 소리도 없이 바람에 나부끼고 있었다.

얼마 뒤에 두 사람은 일어서서 정신을 가다듬으며 다시 손을 맞잡고 언덕을 내려가기 시작했다.

작품 알아보기
(장편문학)

〈테스〉는 하디를 세계적으로 유명하게 만든 작품으로, 원래의 제목은 〈더버빌 가의 테스〉이다. 로맨틱한 자연 묘사와 짜임새 있는 사실주의, 그리고 상징적인 인물 묘사로써, 하디가 가지고 있는 비관주의적인 세계관이 잘 펼쳐져 있다.

여주인공 테스는 몰락한 농가의 딸이다. 마을의 축제날 밤, 지쳐 잠든 테스를 명문가의 후예라고 자칭하는 청년 알렉이 겁탈한다. 순결을 잃고 원하지도 않은 임신을 한 테스는 곧 아이를 낳지만 얼마 안 가 죽고 만다. 그래서 다른 지방으로 도망가 농장에서 젖 짜는 일을 하며 새롭게 살아갈 길을 찾는다.

몇 년이 지나, 농장 경영을 지망하는 목사의 아들 에인젤과 사랑에 빠지고 그와 결혼한다. 결혼 첫날밤, 남편이 자기의 과오를 고백하자 테스도 자기의 과거를 고백한다. 하지만 에인젤은 순결을 잃은 테스를 용납할 수 없어 그녀를 버리고 브라질로 떠나 버린다.

그 후 테스는 부모 형제가 마을에서 쫓겨나게 되자 이들을 구하기 위해 알렉을 다시 만나 동거하게 된다. 그 때 뜻하지 않게 에인젤이 돌아오고 격정에 사무친 테스는 알렉을 죽이고 만다. 〈테스〉는 생애 마지막 5일 동안 그녀가 진정으로 사랑한 에인

작품 알아보기
(장편문학)

젤과 행복하게 지내다 처형당하는 것으로 끝이 난다.

〈테스〉는 사회의 거짓과 계급적 편견에 대한 날카롭고 도전적인 비판을 가한 작품이다. 빅토리아 왕조 때의 영국의 번영이 사실은 테스가 처하고 있는 상황 같은 비참한 이면을 지닌, 한낱 겉만 번지르르한 비단 조각에 불과한 것을 통렬하게 증명한 것이다.

이렇듯 한 순수한 여자가 유혹되어 배반당한 불행한 이야기 속에는 당시의 도덕적 편견과 사회적 인습이 한 개인의 삶을 어떻게 송두리째 짓밟을 수 있는지를 보여 주며, 인간의 힘으로는 어쩔 수 없는 운명을 '테스' 라는 여인을 통해 형상화하고 있다.

따라서 작가는 시종일관 인습에 얽매인 사람의 눈으로는 순결을 잃은 살인자로밖에 보이지 않는 테스를 순결한 여자로서 감싸고 있는 것이다. 작가는 이렇게 함으로써 빅토리아 왕조의 상류 계급이 가진 비도덕성과 불합리한 비정함을 파헤치고 비판하고 있다.

논술 길잡이
(장편문학)

❶ 다음은 테스가 알렉 더버빌과의 사이에서 태어난 아기를 돌보는 장면이다. 테스가 사랑과 미움이 복잡하게 뒤엉킨 심정을 갖게 된 까닭을 써 보자.

갓난애의 배가 불러오자 젊은 어머니는 아기를 무릎 위에 세우고는 차가운 표정으로 아기를 얼러댔다. 그러다가 갑자기 몇십 번이고 아기에게 키스를 퍼부어 댔다. 사랑과 미움이 복잡하게 뒤엉킨 이상한 키스를 받은 아기는 마침내 울음을 터뜨렸다.

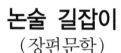

논술 길잡이
(장편문학)

❷ 다음은 테스가 에인젤 클레어의 청혼을 받고 마음속으로 갈
   등을 느끼고 있는 부분이다. 내가 만약 테스라면 어떤 결정
   을 내릴지를 생각해 보고 쓰라.

사실 테스의 마음은 클레어의 청혼을 받아들이는 쪽으로 기울고 있었
다. 사랑이 자꾸만 그녀를 충동질하고 있었다.
'분별이고 뭐고 생각할 것 없이 그의 청혼을 받아들이자. 아무것도 고
백하지 말고, 과거가 탄로나든 안 나든 그건 하늘에 맡기고 그와 결혼
하기로 하자.'고.

논술 길잡이
(장편문학)

❸ 아래 그림은 테스와 에인젤 클레어가 결혼식을 올린 후의 모습이다. 두 사람의 표정에 유의하여, 이 장면이 어떤 상황을 나타내고 있는지 설명해 보자.

논술 길잡이
(장편문학)

❹ 테스는 아름답고 순결한 처녀였으나, 불행한 삶을 살아가게 된다. 테스가 불행해진 근본적인 원인이 무엇인지 생각해 보고 쓰라.

....

....

....

....

❺ 에인젤 클레어는 테스를 사랑하여 결혼했지만, 테스의 과거를 알게 되자 테스를 버린다. 자신도 한때 방탕한 삶을 살았으면서 테스의 과거를 용서하지 못하는 에인젤의 이중적인 태도에 어떻게 생각하는지 써 보자.

....

....

....

....

논술 길잡이
(장편문학)

❻ 아래 그림은 에인젤이 테스로부터 온 이별의 편지를 받고
슬퍼하는 모습이다. 에인젤의 어머니 입장에서 아들을 위로
하는 말을 해 보자.

....

....

....

....

....

논술 길잡이
(장편문학)

❼ 테스는 옛 남편 에인젤이 돌아오자, 현재의 남편인 알렉 더버빌을 칼로 찌르고 사랑하는 옛 남편을 따라간다. 테스가 왜 이런 극단적인 행동을 하게 되었는지 생각해 보고, 자기가 테스라면 어떻게 했을지 써 보자.

❽ 이 소설의 결말은, 테스가 벌을 받아 죽고, 에인젤과 테스의 여동생 리자 루가 맺어지는 것으로 암시되어 있다. 〈테스〉의 결말에 대한 자신의 생각을 써 보자.

논·술·세·계·대·표·문·학 〈전60권〉

펴 낸 날   2011년 4월 15일
펴 낸 이   정 재 상
펴 낸 곳   훈민출판사
주   소   경기도 고양시 덕양구 원당동 416번지
대표전화   (031)962-3888
팩   스   (031)962-9998
출판등록   제395-2003-000042호